Mentes tranquilas, almas felizes

JOYCE MEYER

Mentes tranquilas, almas felizes

Tenha uma vida à prova de conflitos
e descubra os benefícios da paz interior

TRADUZIDO por Julio Silveira

THOMAS NELSON
BRASIL
Rio de Janeiro - 2025

Título original
Conflict Free Living

Publisher	*Omar de Sousa*
Gerente editorial	*Samuel Coto*
Editor	*Andre Lodos Tangerino*
Assistente-editorial	*Bruna Gomes*
Capa	*Douglas Lucas*
Tradução	*Julio Silveira*
Revisão	*Margarida Seltmann*
	Magda de Oliveira Carlos
	Cristina Loureiro de Sá
	Luiz Antonio Maia
Projeto gráfico e diagramação	*Julio Fado*

CIP-BRASIL. CATALOGAÇÃO NA FONTE
SINDICATO NACIONAL DOS EDITORES DE LIVROS, RJ

M559m

Meyer, Joyce, 1943-
Mentes tranquilas, almas felizes : tenha uma vida à prova de conflitos e descubra os benefícios da paz interior / Joyce Meyer ; tradução Julio Silveira. - [2. ed.]. - Rio de Janeiro : Thomas Nelson Brasil, 2018.
192 p. ; 21 cm.

Tradução de: Conflict free living
ISBN 9788578604042

1. Conflito - Administração - Aspectos religiosos - Cristianismo. 2. Conflitos interpessoais - Aspectos religiosos - Cristianismo. 3. Vida cristã. I. Silveira, Julio. II. Título.

18-48525 CDD: 248.4
CDU: 27-584

Thomas Nelson Brasil é uma marca licenciada à Vida Melhor Editora LTDA.

Rua da Quitanda, 86, sala 601A – Centro – 20091-005
Rio de Janeiro – RJ – Brasil Tel.: (21) 3175-1030

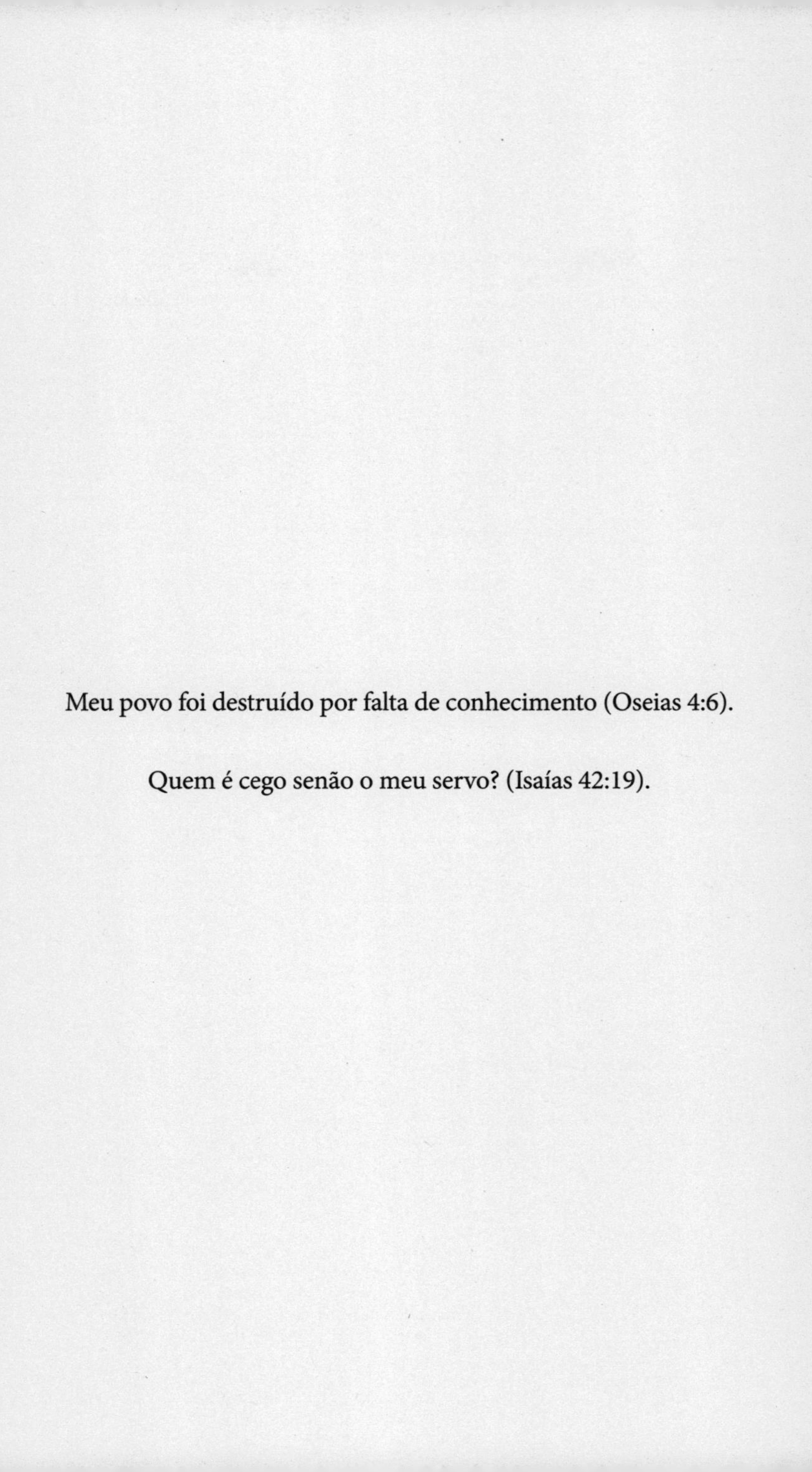

Meu povo foi destruído por falta de conhecimento (Oseias 4:6).

Quem é cego senão o meu servo? (Isaías 42:19).

Sumário

Introdução

Fomos criados para viver no amor e na alegria dos relacionamentos harmoniosos, livres da discórdia, da confusão e da mágoa. Deus quer nossa vida livre da divisão, quer que vivamos em paz uns com os outros; porém, uma vida assim escapa à maioria. Em vez disso, conflitos trazem o caos, deixando-nos feridos e alienados uns dos outros.

Conflitos...

- acabam com nossos casamentos;
- tornam nossas crianças amargas;
- afastam nossos amigos e colegas;
- dividem nossas igrejas;
- arruínam nossa saúde;
- roubam a paz de mentes e corações.

Não estou isenta desses problemas. Minha vida e meu ministério já correram risco de destruição por causa de desentendimentos. Oro para que o leitor possa abrir os olhos e enxergar com mais clareza os efeitos destrutivos da discórdia em nossa vida — e que não só os perceba, mas que sobretudo os enfrente.

Jesus nos deu sua paz para nossa proteção. Devemos "tão somente acalmarmo-nos" e "que a paz seja o juiz" a cada situação (Êxodo 14:14; Colossenses 3:15). Devemos buscar "a paz com perseverança" e atuar como bem-aventurados "pacificadores" (Salmos 34:14; Mateus 5:9).

A Palavra de Deus traz maravilhosas promessas para os pacíficos, incluindo Salmos 37:37: "Considere o íntegro, observe o justo; há futuro para o homem de paz." Pense nisso. Se você é uma pessoa de paz — se aprender a resistir ao conflito e à discórdia — experimentará alegria. Deus diz que seus filhos herdarão a retidão, a paz e a alegria. O Reino de Deus consiste nessas três virtudes, mas poucos dos que afirmam que Jesus é seu salvador realmente vivenciam tais benesses cotidianamente. Satanás trapaceia, mente e ludibria os cristãos por intermédio da ignorância ou da nossa falta de disposição para aplicar o conhecimento que detemos.

SE QUISERMOS VIVENCIAR O PODER E AS BÊNÇÃOS DE DEUS, TEMOS QUE RESISTIR ÀS TENTAÇÕES DO DEMÔNIO PARA SUSCITAR DISCÓRDIAS.

Sabemos que precisamos vestir toda a armadura de Deus para derrotar o demônio em cada uma de suas estratégias e trapaças (cf. Efésios 6:10-18). Se quisermos vivenciar a bênção e o poder de Deus, devemos resistir às tentações do demônio para suscitar discórdia. Devemos estar a postos, porque "o diabo [...] anda ao redor como leão, rugindo e procurando a quem possa devorar" (1Pedro 5:8).

Se os problemas de relacionamento têm tomado conta de sua vida, este livro é para você. Se hoje se indaga por que não vivencia o poder espiritual em sua vida e em seu ministério, apesar de estar servindo a Deus e dando o melhor de si, este livro é para você. Se fica confuso ao perceber que não está recebendo as bênçãos que Deus promete a seus filhos, este livro é para você.

Aqui vamos explorar a razão pela qual muitos de nossos relacionamentos são o oposto do que Jesus prometeu, discorrendo sobre o que podemos fazer para desfrutar da vida que Deus quer para nós.

Na primeira parte, você aprenderá a reconhecer a discórdia para que possa, por sua vez, resistir a ela. Na segunda parte, descobrirá como curar seus relacionamentos problemáticos. E na terceira parte aprenderá como liberar o poder e a bênção de Deus em sua vida.

Ao fim de cada capítulo, você encontrará uma seção com um pequeno resumo e uma reflexão. Essa seção foi projetada para ajudá-lo a aplicar as percepções apresentadas a cada capítulo, fornecendo-lhe as chaves para discernir as raízes e os sintomas dos conflitos e das discórdias, para que possa desfrutar de relacionamentos livres de problemas.

Continue a ler e aprenda como sua vida e seus relacionamentos podem ser plenos de harmonia, poder e bênção.

Parte 1

IDENTIFICANDO OS SINAIS

CAPÍTULO UM

Por que minha vida é tão difícil?

UMA NOITE, MEU MARIDO DAVE e eu fomos buscar um casal a fim de levá-los para jantar. Estivemos na casa deles somente uma vez, e já havia se passado um bom tempo desde essa primeira visita. No caminho, Dave virou-se para mim:

— Acho que não lembro como chegar à casa deles.

— Tudo bem, eu lembro! — logo respondi, e comecei a orientá-lo. Porém, Dave se mostrou hesitante com as minhas instruções, confessando sua preocupação. Retruquei:

— Dave, você nunca ouve o que eu digo!

O tom de minha voz e minha linguagem corporal mostraram a ele que eu não gostava de ser desafiada. Como eu insistia, Dave enfim concordou em seguir o caminho que eu indicava. Informei que nossos amigos moravam em uma casa marrom em uma rua sem saída no fim da rua tal e tal. Continuei passando instruções a cada curva.

Quando nosso carro entrou na rua na qual eu acreditava ficar a casa, percebi uma bicicleta largada na calçada e exclamei:

— Sei que essa é a rua certa, porque me lembro daquela bicicleta da última vez que estivemos aqui!

Seguimos até o fim da rua. Adivinha? Não havia casas marrons. Não havia rua sem saída. Eu estava totalmente enganada...

Gostaria de poder dizer que esse foi um incidente isolado, mas não posso. Eu instaurei o caos em minha vida e em meus relacionamentos por muitos anos. Era uma pessoa muito difícil de se conviver, estava sempre em conflito com algo ou alguém. Passei a amar Deus, renasci, fui batizada no Espírito Santo e recebi um chamado para ser ministra em tempo integral, mas ainda guardava muita mágoa e muita raiva.

Cresci em um lar bastante violento e raivoso, e toda a minha infância foi marcada por medo, embaraço, vergonha. Meu pai abusou de mim de vários modos: sexual, física, verbal e emocionalmente, desde que eu tinha 3 anos até eu sair de casa, aos 18. Ele nunca me tomou à força, mas me forçou a fingir que eu gostava do que ele estava fazendo. Ele usava de força e intimidação para controlar tanto a mim quanto aos outros membros da família.

Quando fiz 18 anos, deixei a casa dos meus pais enquanto meu pai estava no trabalho. Pouco depois, casei-me com o primeiro jovem que demonstrou algum interesse por mim. Meu primeiro marido era manipulador, ladrão e trapaceiro, e estava sempre desempregado. Ele me abandonou na Califórnia com nada mais que cinco centavos e uma caixa de papelão com garrafas de refrigerante.

O abuso, a violência, as mentiras e a manipulação que eu tive que suportar deixaram-me fora de controle, mas, é claro, não podia admitir isso. Nem podia admitir a intensa raiva que sentia. Encarava a vida e as pessoas com amargura. Tinha raiva dos que levavam suas vidas felizes e que não tinham passado pela dor que eu enfrentara. Não sabia como receber o amor, as graças e a misericórdia de Deus — ou de qualquer pessoa.

Mesmo após casar-me com Dave, continuei a fazer tudo o que podia para controlar as pessoas e as circunstâncias de minha vida para que eu nunca mais voltasse a ser magoada tão profundamente. É claro que isso não funcionou muito bem. Todos os meus relacionamentos eram exaustivos e estressantes, e eu não conseguia compreender o porquê.

Tampouco compreendia por que meu ministério não estava crescendo nem sendo abençoado, apesar de todos os esforços e orações, de minha parte e de Dave. Mas comecei a crescer no meu relacionamento com o Senhor, e ele começou a operar em minha vida. Ao estudar sua Palavra e todas as suas promessas sobre a paz, eu vim a desejar isso para minha vida, e o Espírito Santo começou a mostrar-me que a discórdia era a causa de meus problemas. Aprendi a reconhecê-la e resisti-la. Agora encaro a discórdia como uma perigosa rival que causará destruição se a deixar sem controle.

ASSIM COMO EU, MUITOS ESTÃO VIVENCIANDO A DEVASTAÇÃO CAUSADA PELA DISCÓRDIA, MAS NÃO A RECONHECEM COMO A RAIZ DE SEUS PROBLEMAS.

Assim como eu, muitos estão vivenciando a devastação causada pela discórdia, mas sem reconhecê-la como a raiz de seus problemas. Colocam a culpa nos outros, ou em Satanás, mas não se dão conta de que têm o poder de dizer sim ou não à discórdia. Em vez de manter os conflitos afastados, abrem a porta para cada um deles, e depois se questionam por que suas vidas são tão difíceis.

Aprendendo a reconhecer a discórdia

O dicionário define discórdia como "luta; conflito acalorado e com frequência violento; disputa amarga; uma batalha entre rivais; ou dissensão".* Outras palavras usadas para descrever o termo são

* Essa é a definição do *New Riverside University Dictionary* para a palavra inglesa

"querela", "rivalidade", "bate-boca", "altercação", "discussão", "provocação" e "litígio". Eu defino discórdia tanto como um desentendimento acalorado, implicante e combativo, como uma tendência raivosa.

A Bíblia tem muito a dizer sobre discórdia e disputas em geral (que são, na verdade, a mesma coisa) e aponta a discórdia como fonte de muitos outros tipos de problemas. O apóstolo Tiago escreveu: "Pois onde há ciúme (inveja) e disputa (ambição egoísta), aí há confusão (insatisfação, desarmonia, rebelião) e toda espécie de males" (Tiago 3:16). Também podemos ler em Hebreus 12:14,15: "Esforcem-se para viver em paz com todos e para serem santos; sem santidade ninguém [jamais] verá o Senhor. Cuidem [uns dos outros para] que ninguém se exclua da graça de Deus [seu favor imerecido e bênção espiritual]; *que nenhuma raiz de amargura [rancor ou ódio] brote e cause perturbação, contaminando muitos*" (grifo da autora).

A discórdia leva ao ressentimento, ao rancor, à amargura ou ao ódio. Se não a confrontarmos, ela destrói e devasta. Causa problemas e traz tormenta aos membros e à liderança da igreja, criando obstáculos para o trabalho de Deus e contagiando o povo.

Se uma praga mortal se abatesse sobre uma casa, o Departamento de Saúde a colocaria em quarentena. Avisos públicos alertariam sobre os perigos daquela casa. A ninguém seria permitido aproximar-se ou entrar ali, pelo risco de contaminação e também de violação. Temos que ser vigilantes da mesma forma em se tratando de eliminar a discórdia.

Eis porque é tão importante aprender a identificar os sintomas da discórdia, incluindo:

---

strife. A definição do *Dicionário Caldas Aulete* para *discórdia* é: "1. Convivência desarmônica ou conflituosa; desinteligência; dissensão. 2. Cizânia, desavença. 3. Estado de beligerância entre pessoas ou nações criado por algum desacordo." (N.T.)

- Orgulho (ou postura defensiva)
- Amargura
- Ódio
- Julgamento e crítica
- Trapaça e mentiras
- Raiva
- Rebelião
- Inquietação
- Medo e negatividade

Sempre que nos entregamos a qualquer um desses sentimentos, abrimos a porta para a discórdia e convidamos a destruição a entrar. A discórdia mata! Ela mata a cura, as bênçãos, a prosperidade, a paz e a alegria.

A discórdia não é só um problema entre pessoas; é frequentemente um problema interno de uma pessoa. O que se passa em seu interior? Sua atmosfera interna é pacífica ou tensa? A discórdia pode afetar primeiramente suas atitudes. Uma vez ouvi por acaso uma mulher reclamando do serviço postal e da agência dos correios. Após ouvi-la falar sobre entregas atrasadas, pacotes extraviados e do custo da postagem, eu pensei: "A raiva dessa mulher roubou-lhe a paz e a alegria." Enquanto continuasse tão irritada com os correios, jamais teria prazer em ir a uma agência. Só falar sobre isso já a deixava irritada.

Damos acesso à discórdia muitas vezes em questões menores, algo que realmente não faz muita diferença. Por exemplo, uma amiga faz um comentário passageiro sobre nosso novo corte de cabelo, observando que preferia o anterior, e nos sentimos ofendidas com isso. Porém, em vez de conversar sobre isso com a amiga e ficar em paz, ou estender a graça, preferimos repetir e repetir as palavras em nossa cabeça, alimentando nossa raiva, e desse modo permitindo que a discórdia entre em nossa vida. Continuamos a nos submeter à discórdia, e, quando nos dermos conta, estaremos constantemente raivosos.

A discórdia geralmente chega em nossa vida por meio de uma pessoa, mas nem sempre é assim. Algumas vezes, nosso conflito pode ser com um lugar. Há muitos anos, comprei um vestido em uma loja e o vestido se desfez logo depois. Quando tentei devolvê-lo, o vendedor recusou-se a recebê-lo de volta. Fiquei bastante irritada porque sentia que fora injustiçada, e falei a todos que encontrava sobre essa loja e seu péssimo serviço aos clientes. Eu desencorajava com firmeza, a todos que quisessem ouvir, a comprar nessa loja. A cada vez que passava em frente a ela, enquanto caminhava pelo shopping, começava a me sentir irritada. Se estivesse com alguém, passaria a repetir a história e a ficar cada vez mais irritada.

Deus começou a mostrar-me que eu deveria perdoar aquele vendedor e ainda a loja por sua política que não atendia às minhas necessidades. Esse foi um novo nível de aprendizado para mim em relação ao perdão. Eu sabia sobre perdoar pessoas, mas não lugares. Aprendi que manter uma discórdia com um lugar é tão perigoso quanto manter uma discórdia com uma pessoa. A única diferença é que um lugar não tem sentimentos, mas o impacto na pessoa em discórdia é igualmente destrutivo.

DAMOS ACESSO À DISCÓRDIA MUITAS VEZES EM QUESTÕES MENORES, ALGO QUE REALMENTE NÃO FAZ MUITA DIFERENÇA.

Se falhamos em reconhecer e resistir à discórdia, ela envenena nossas atitudes e começa a afetar negativamente todos os nossos relacionamentos — na escola, no trabalho, no lar e na igreja. E o que é pior, frequentemente nem fazemos ideia de como o problema começou ou o que fazer em relação a ele.

Esse é o caso de uma mulher que veio falar comigo após um de meus encontros. Ela me contou que, depois de ouvir-me pregar sobre a discórdia, havia adquirido toda a coleção de ensinamentos sobre o assunto e começara a estudá-lo. Disse que sua família tinha um longo histórico de conflitos e divórcios, com irmão odiando irmão, filhos odiando seus pais. Na noite em que ela me escutou, Deus lhe revelou a causa dos relacionamentos turbulentos que caracterizavam sua família: eles haviam falhado em resistir à discórdia. Assim, as reuniões familiares eram cheias de dissensões, contrariedades e raiva.

Ela me confidenciou que não queria seguir vivendo em um estado de conflito, por isso havia escutado a série aprendendo a reconhecer a discórdia e a resisti-la. Com o passar do tempo, sua vida e seus relacionamentos tornaram-se mais pacíficos. Não só isso, ela ainda compartilhava o que havia aprendido com muitos de seus parentes, e eles também haviam aprendido a fechar a porta para a discórdia e para o conflito. Um a um, muitos deles libertaram-se porque aprenderam a verdade sobre a natureza destrutiva da discórdia. Jesus disse: "Se vocês permanecerem firmes na minha palavra, verdadeiramente serão meus discípulos. E conhecerão a verdade, e a verdade os libertará" (João 8:31,32).

Confrontando a discórdia, abraçando a paz

A discórdia espalha-se como uma infecção ou uma doença altamente contagiosa. Muitos ficam contaminados ou maculados por ela. É por isso que Dave e eu trabalhamos duro para mantê-la fora de nosso lar. Por termos personalidades muito diferentes, muitas vezes deixamos de pensar ou ver as coisas da mesma maneira. Ainda assim, aprendemos a conversar com calma e profundidade sobre nossos desentendimentos, tomando cuidado para não deixar que o orgulho, o ressentimento, a amargura, o ciúme ou a raiva fiquem entre nós.

Também fazemos um esforço consciente para evitar rupturas nos Ministérios Joyce Meyer. Quando as pessoas vêm trabalhar conosco, enfatizamos durante o treinamento que não toleraremos discórdias e ensinamos que fiquem atentas aos menores sintomas, tal como o julgamento e a crítica, para que possam fechar a porta para toda dissensão e aprender a dirigir suas opiniões ao Senhor ou à pessoa responsável por suas reclamações — e não aos outros funcionários. Instruímos essas pessoas a caminharem em paz com os outros funcionários, a serem abundantes na misericórdia e rápidos em ignorar as ofensas. Queremos que nosso lar e nosso ministério sejam locais onde reinem a paz e a harmonia.

Oro para que ao fim deste livro você esteja tão sequioso por paz que fará o que for preciso para impedir conflitos. Se você tiver que lutar por alguma coisa, lute para evitar a discórdia. Seja diligente.

Recentemente recebi uma carta de um casal que havia comparecido a um encontro que dirigimos na Flórida. Eles contavam que, ao longo dos primeiros 27 anos de vida de casados, os conflitos marcaram seu relacionamento. Apesar de serem cristãos que amam um ao outro, nunca haviam conseguido a paz em seu relacionamento. Eles implicavam um com o outro, discutiam e não conseguiam se entender. Conheciam bem a verdade de Provérbios 17:1: "Melhor é um pedaço de pão seco com paz e tranquilidade do que uma casa onde há banquetes e muitas brigas." Ironicamente, estavam envolvidos com um ministério de aconselhamento para casais em sua igreja, ainda que eles mesmos vivessem sob condenação porque não conseguiam fazer em suas vidas o que ensinavam os outros a fazer.

A carta dizia: "Conseguimos mudar graças a seus ensinamentos sobre a discórdia. Nós sequer sabíamos qual era o nosso problema. Mas agora sabemos, e por conta dessa revelação podemos viver em vitória."

A discórdia não tem que destruir sua vida. Se você quiser caminhar em vitória, faça como esse casal fez. Não é tarde demais. Aprenda a reconhecer o espírito da discórdia e confronte-o. Recuse-se a ser combustível para ele, para que você possa merecer a retidão, a paz e a alegria que são suas por direito, como filho e filha de Deus.

Resumo e reflexão

Para vivenciar relacionamentos pacíficos e harmoniosos, temos que lembrar que a vitória sobre o conflito e a discórdia requer que nos engajemos em uma batalha espiritual. Efésios 6:12 diz:

> Pois a nossa luta não é contra seres humanos [somente com oponentes físicos], mas contra os poderes e autoridades, contra [os espíritos mestres que são] os dominadores deste mundo de trevas, contra as forças espirituais do mal nas regiões celestiais [sobrenaturais].

1. Defina discórdia com suas próprias palavras.
2. Todos já passamos por situações cheias de tensão e conflito. Descreva os sintomas de uma discórdia:
   No lar
   Na igreja
   No ambiente de trabalho
   Em outra situação
3. Pense nas relações nas quais você sofre, tanto em casa (com pais e irmãos, cônjuge e filhos) como no trabalho. Peça a Deus para mostrar onde as seguintes características da discórdia abriram a porta para um conflito específico nesses relacionamentos. O que foi que você disse ou fez que foi motivado por...
   Orgulho (Você estava na defensiva? Você fez questão de dar a última palavra? Estava mais interessado em fazer

valer seu ponto de vista do que em aprender a perspectiva de Deus sobre a questão?)

Amargura (Você usou frases como "você sempre..." ou "você nunca..."?, que são sintomas de amargura interior?)

Ódio

Julgamento e crítica (Você atribuiu a outra pessoa motivações ou intenções quando não era possível saber de verdade o que se passava no coração dela? Você fez julgamentos de outras maneiras?)

Trapaça e mentiras (Você compreendeu equivocadamente a situação do ponto de vista de outra pessoa, ou você formou sua opinião sem saber todos os fatos? Você formou sua opinião com base em fofoca? Você mentiu ou distorceu a verdade de algum modo?)

Raiva

Inquietação (Você disse alguma coisa motivado por preocupação ou por ansiedade?)

Medo e negatividade (Você disse ou fez alguma coisa motivado por medo ou negatividade?)

4. Você está em discórdia consigo mesmo? Descreva como uma das características acima se relaciona com seus pensamentos ou como você enxerga a si mesmo.
5. De que forma a discórdia trouxe devastação e destruição para sua vida?
6. Como sua vida mudaria se você buscasse curar seus relacionamentos conturbados e resistir à discórdia?

Senhor, ajuda-me a reconhecer a discórdia e a aprender como resistir a ela. Ajuda-me a enxergar a chegada do espírito da discórdia bem antes que ele instaure o caos em meu lar e em minha vida. Dá-me a graça para que eu nunca fomente o espírito da discórdia em minha vida ou na vida dos outros. Amém.

CAPÍTULO DOIS

Eu estou certo e você está errado

VOCÊ ALGUMA VEZ JÁ ESTEVE absolutamente convicto de que estava certo sobre alguma coisa? Sua mente parecia ter arrumado um armazém de fatos e detalhes para provar que você estava certo — e no fim você estava errado. O que você fez? Admitiu o erro ou ficou insistindo em achar uma maneira de defender sua posição?

No passado, quando meu marido e eu estávamos assistindo a um filme ou programa de televisão, muitas vezes discutíamos sobre que atores ou atrizes estavam desempenhando os papéis de tal ou tal personagem. A mim parecia que Dave achava que Henry Fonda havia desempenhado metade dos papéis de todos os filmes. "Olha", ele exclamava ao começarmos a assistir a um filme na televisão, "Henry Fonda está nesse filme."

"Esse não é Henry Fonda", eu respondia, e começávamos a discutir e a implicar um com o outro. Ambos estávamos com tanta vontade de ter razão que insistíamos em ficar acordados por mais tempo do que deveríamos, somente para poder conferir os créditos finais e jogar um na cara do outro: "Eu não disse?"

Por que querer tão desesperadamente ter razão? Por que é tão difícil admitir estar errado? Por que é tão importante assim "vencer" em um desacordo?

Por muitos anos eu sofria de baixa autoestima e, para ter alguma confiança, tinha que estar certa o tempo todo. Então eu discutia e fazia esforços tremendos para provar que estava certa. Sempre havia alguém me desafiando, e eu vivia frustrada, tentando convencer as pessoas de que eu sabia do que estava falando.

Foi somente quando minha identidade se enraizou em Cristo que comecei a vivenciar liberdade nessa área. Agora sei que meu valor não está em toda essa aparente segurança, mas sim no fato de que Jesus me ama o suficiente para morrer por mim e oferecer-me uma relação pessoal com ele.

O ORGULHO QUER DESESPERADAMENTE FINGIR QUE É BOM, FINGIR QUE É INTELIGENTE, QUER SER ADMIRADO.

Por que eu tinha de estar certa? Porque meu orgulho estava em risco. O orgulho quer desesperadamente fingir que é bom, fingir que é inteligente, quer ser admirado. É como está dito em Obadias 3: "A arrogância do seu coração o tem enganado." O orgulho nos engana e nos faz pensar que estamos certos, quando estamos de fato errados.

O orgulho quer desesperadamente dar prazer à carne — a qualquer custo. A carne, se não estiver sob o controle do Espírito Santo, faz tudo o que estiver ao seu alcance para conseguir o que quer: "Dê-me o que quero, quando eu quero, do jeito que eu quero, e agora!" Esse é o grito de todos nós, alienados do Espírito de Deus.

O orgulho não pode conduzir-nos à vitória. Não há esperança de paz sem uma disposição para humilharmo-nos. A palavra de Deus ensina que o orgulho leva à destruição. "O orgulho vem antes da destruição; o espírito altivo, antes da queda" (Provérbios 16:18). O orgulho quer arrasar com o outro para erguer a si mesmo. Quando temos orgulho em nosso coração, nossas palavras tornam-se julgadoras e desagregadoras, provocando todo tipo de insatisfação e problemas em nossos relacionamentos.

Corações arrogantes, palavras desagregadoras

As palavras são receptáculos de poder. Mas podem conter tanto a força criativa quanto a destrutiva. Contêm a força de Deus ou a força de Satanás. "A resposta calma desvia a fúria, mas a palavra ríspida desperta a ira" (Provérbios 15:1) e "o falar amável [com seu poder de cura] é árvore de vida" (Provérbios 15:4). Uma resposta suave traz a paz no meio da turbulência. Um falar amável é poder de cura.

Tiago nos alerta sobre o poder negativo das palavras, que podem causar mágoa e desagregação: "A língua é um fogo; é um mundo de iniquidade. Colocada entre os membros do nosso corpo, contamina a pessoa por inteiro, incendeia todo o curso de sua vida, sendo ela mesma incendiada pelo inferno (Geena)" (Tiago 3:6).

As palavras erradas ou as palavras ditas no momento errado podem certamente começar o fogo, particularmente quando são palavras de julgamento, crítica, fofoca e maledicência. O julgamento diz: "Você tem um defeito; eu, não."

Um exemplo da destruição causada pela arrogância e pelo julgamento pode ser encontrado em Lucas 18:10-14:

- "Dois homens subiram ao templo para orar; um era fariseu e o outro, publicano [coletor de impostos]. O fariseu, em pé, orava no íntimo: 'Deus, eu te agradeço porque não sou como os outros homens: ladrões, corruptos [de corpo e alma], adúlteros; nem mesmo como este publicano. Jejuo duas vezes por semana e dou o dízimo de tudo quanto ganho.'"

- "Mas o publicano [meramente] ficou a distância. Ele nem ousava olhar para o céu, mas batendo no peito, dizia: 'Deus, tem misericórdia de mim, que sou pecador.'"
- "Eu lhes digo que este homem, e não o outro, foi para casa justificado [perdoado e tornado reto] diante de Deus. Pois quem se exalta será humilhado, e quem se humilha será exaltado."

Perceba que o orgulho irá nos perseguir mesmo na privacidade da oração. Falamos a nós mesmos que estamos orando sobre os defeitos de outra pessoa, mas talvez estejamos operando com base no espírito crítico e de julgamento que Jesus condena.

Porém, antes que nosso orgulho nos leve a apontar um dedo em julgamento ao fariseu dessa parábola, deixe-me fazer uma pergunta. Não somos também culpados, às vezes, quando se trata de discutir a Bíblia? Uma pessoa pensa determinada coisa, outra acredita em outra. Dizemos uns aos outros: "Sua interpretação está errada." Ficamos insistindo em nossos argumentos e tentando convencer o outro. Logo são ditas palavras que não poderão ser retiradas, e os relacionamentos são danificados.

PERCEBA QUE O ORGULHO IRÁ NOS PERSEGUIR MESMO NA PRIVACIDADE DA ORAÇÃO.

Há algum tempo, contratamos três novos funcionários para os Ministérios Joyce Meyer, todos muito jovens e precisando de alguns anos para crescer junto ao Senhor. Logo após terem começado, recebi relatórios de que outros funcionários naquele departamento sentiam conflito e desagregação entre esses três novos funcionários, por conta de seus debates sobre vários trechos da Bíblia. Dave e eu conversamos com esses três funcionários e, felizmente, eles receberam nossas correções. A porta para as discussões estava fechada, e a discórdia cessou.

Discussões e julgamentos suscitados pelas Escrituras são resultado do orgulho espiritual. Esse é o mais repulsivo tipo de orgulho para o Senhor. Portanto, esteja alerta, porque Satanás adora quando os homens estão desagregados. Paulo escreveu aos cristãos de Éfeso: "Nossa luta não é contra seres humanos, mas contra os poderes e autoridades, contra os [espíritos mestres que são] dominadores deste mundo de trevas, contra as forças espirituais do mal nas regiões celestiais [sobrenaturais]" (Efésios 6:12).

Se queremos derrotar Satanás e desfrutar de relacionamentos livres de problemas, temos que trocar o orgulho pela humildade, manter nossa boca fechada e seguir o comando do Espírito Santo.

Trocar o orgulho pela humildade

Se não estamos dispostos a nos humilhar, não podemos ter esperança de relacionamentos pacíficos. Enquanto acharmos que sabemos tudo, não sabemos nada. Quando acreditamos que temos ainda muito a aprender e paramos de exibir nossas opiniões, nós finalmente chegamos ao ponto em que o conhecimento pode começar. O apóstolo Paulo afirmou: "Pois decidi nada saber (nada conhecer, nada exibir de conhecimento) entre vocês, a não ser Jesus Cristo (o Messias), e este, crucificado" (1Coríntios 2:2).

Paulo não somente era um fariseu, mas chamava a si mesmo de "filho de fariseus" (Atos 23:6). Além de um dos principais fariseus, era extremamente instruído. Ainda assim, ele diz que preferia esquecer tudo o que conhecia a fim de "saber de Jesus Cristo (o Messias), e este,

SE QUEREMOS DERROTAR SATANÁS E DESFRUTAR DE RELACIONAMENTOS SEM PROBLEMAS, TEMOS QUE TROCAR O ORGULHO PELA HUMILDADE, MANTER NOSSAS BOCAS FECHADAS E SEGUIR O COMANDO DO ESPÍRITO SANTO.

crucificado". Com o passar dos anos, descobri que tenho que ser pregada à cruz com Jesus, regularmente, se quiser me manter longe do orgulho. Tenho também que saber de Cristo e, deste, crucificado.

Muitas e muitas vezes não compreendemos afirmações como essa na Palavra de Deus, então passamos por elas e deixamos de aprender uma importante lição. O livro de Romanos diz que não iremos reinar com Cristo se não quisermos sofrer com ele: "Se somos [seus] filhos, então somos [seus] herdeiros; herdeiros de Deus e coerdeiros com Cristo [partilhando com ele sua herança], se de fato participamos dos seus sofrimentos, para que também participemos da sua glória" (Romanos 8:17). (Vamos tratar mais sobre o significado disso no Capítulo 15.)

Eu agora desfruto de uma vida pacífica, mas tenho que passar também pelo sofrimento que é o aprendizado da crucificação de meu orgulho. Também tenho que aprender a parar de discutir.

Manter a boca fechada

As palavras erradas são como combustível em uma fogueira. Quanto mais despejamos, mais o fogo cresce. O único jeito de acabar com as chamas é retirar o combustível. A única maneira de parar ou evitar um desacordo ou uma discussão é parar de falar. Quando alguém nos insulta ou fere nossos sentimentos, somos muitas vezes tentados a responder a partir de nosso orgulho ferido. Mas seria mais sábio ignorar o insulto e deixar Deus lidar com essa pessoa. Temos que desistir de querer provar que estamos certos e que todo o mundo está errado.

É irônico que muitas discussões sejam sobre questões insignificantes. O apóstolo Paulo nos alerta sobre esse tipo de conversa em

2Timóteo 2:23,24: "Evite [tranque sua mente contra, não se envolva com] as controvérsias tolas e inúteis [mal informadas, não edificantes], pois você sabe que acabam em brigas. Ao servo do Senhor não convém brigar, mas, sim, ser amável para com todos, apto para ensinar, paciente [preservando a paz]; deve corrigir com mansidão os que se lhe opõem, na esperança de que Deus lhes conceda o arrependimento, levando-os ao conhecimento da verdade."

Note a palavra "tolas" no versículo 23. Esse termo indica aquilo que é desprovido de importância e não faz diferença quando diante do que é realmente importante. Acredito que o versículo significa, na verdade, algo como: "Fique fora de conversas em que ninguém sabe sobre o que se está conversando e todos estão discutindo a respeito de nada." Tantas vezes nosso orgulho nos mantém discutindo sobre assuntos que não fazem a menor diferença a ninguém. Nosso coração orgulhoso recusa-se a permanecer quieto porque o orgulho exige que seja mantida a nossa voz — que seja nossa a palavra final.

Eu era uma especialista em tentar convencer os outros de que meu jeito era o jeito certo; porém, como o Espírito Santo me condenou nessa área, aprendi a manter minha boca fechada quando me encontro no meio de um desacordo. Sei que tenho de me retirar, ficar quieta e confiar que Deus irá tomar conta da situação. Pode acreditar em mim, já evitei uma porção de discussões ao me recusar a atiçar a fogueira das desavenças com minhas palavras. Meus relacionamentos e minha vida são bem mais pacíficos quando deixo o convencimento a cargo do Espírito Santo!

Quando alguém nos insulta ou fere nossos sentimentos, o orgulho nos tenta a dar uma resposta baseada em nossas emoções magoadas. Mas eu prefiro viver em paz a fazer tudo do meu jeito. Você não?

Siga o comando do Espírito Santo

Tanto Dave quanto eu aprendemos a ouvir o Espírito Santo nessa situação. Há ocasiões em que simplesmente não concordamos. Meu marido não é uma pessoa difícil de se conviver. De fato, ele é bem maleável e receptivo. Mas há questões em relação às quais ele e eu temos sentimentos fortes, e nenhum de nós irá convencer o outro de que está errado, a não ser o próprio Deus.

Algumas vezes Deus convence Dave; em outras, me convence. Se eu levanto a questão, tentando convencer Dave, a harmonia em nosso relacionamento é destruída e a discórdia entra em nossa vida. Se eu me humilho sob a poderosa mão de Deus e o aguardo, aprendo que ele, e somente ele, tem o poder de convencer meu marido em certas ocasiões.

Agora, cada vez que Dave e eu somos tentados a defender nosso orgulho ao insistir que estamos certos, Deus permite-nos dizer: "Eu acho que estou certo, mas posso estar errado." É impressionante a quantidade de discussões que evitamos ao longo dos anos usando esse simples ato de humildade. Descobri que, quando obedeço ao comando do Espírito Santo, o relacionamento pode voltar a ser harmonioso.

É certo que, por vezes, devemos nos pronunciar e confrontar as pessoas. No entanto, é vital que sejamos sensíveis ao Espírito de Deus em cada situação. Às vezes, estou cheia e quero dizer a alguém que ele ou ela não vai mais me tratar mal ou tirar vantagem de mim. Mas não importa quanto eu queira confrontar esse indivíduo, o Espírito Santo persistentemente me avisa para deixar isso de lado.

APRENDI QUE, MESMO QUANDO AS PALAVRAS ERRADAS ACENDEM O FOGO, AS PALAVRAS CERTAS PODEM APAGÁ-LO.

Outras vezes, eu não quero conversar com determinada pessoa sobre um assunto, mas Deus me informa que eu tenho de fazê-lo. Quando esse é o caso, eu escolho minhas palavras com cuidado para que minha fala seja baseada na sabedoria, em vez de ser calcada na emoção. Estou cuidadosamente atenta ao impacto dos tons de voz e da linguagem corporal. Aprendi que, mesmo quando as palavras erradas acendem o fogo, as palavras certas podem apagá-lo.

O livro dos Provérbios nos diz: "Há palavras que ferem como espada, mas a língua dos sábios traz a cura" (Provérbios 12:18). Além disso, "o insensato revela de imediato o seu aborrecimento, mas o homem prudente ignora o insulto" (Provérbios 12:16).

Nosso modelo

Se queremos desfrutar de relacionamentos harmoniosos e livres de problemas, devemos seguir o exemplo de Jesus, acusado seguidamente de estar errado, mas em nenhuma vez tentou se defender. Ele deixava que as pessoas achassem que ele estava errado, e isso não o perturbava nem um pouco. Podia fazê-lo porque sabia quem era, não tinha problemas com sua autoimagem. Não estava tentando provar nada para ninguém. Ele acreditava no Pai celestial para fazer-lhe justiça, e podemos fazer o mesmo.

Entregue a Deus sua necessidade de estar certo, e observe como seus relacionamentos irão melhorar. Você irá descobrir que uma grande força espiritual é liberada pela unidade e harmonia.

Resumo e reflexão

Muitos de nossos problemas estão ligados ao orgulho. O orgulho nos faz lutar para estarmos certos e enche nossa mente de autoengano. Nós somos capazes de justificar todos os tipos de atitudes e comportamentos errôneos, mantendo a convicção de que estamos certos.

Diz a Bíblia, em Tiago 3:14: "Se vocês abrigam no coração inveja amarga e ambição egoísta, não se gloriem disso, nem neguem a verdade."

1. Vasculhe seu próprio coração e pense muito honestamente sobre uma ocasião em que esteve envolvido em discórdia. Você justificou suas ações? Descreva a ocasião.
2. Orgulho e trapaça andam juntos. Pedindo auxílio ao Espírito Santo, recorde uma ocasião de sua vida em que seu orgulho o convenceu de estar certo, apesar de estar enganado. Descreva essa ocasião.
3. A Bíblia diz que a língua é um fogo (Tiago 3:6). Descreva uma situação em que seu orgulho fez com que você dissesse alguma coisa que incitou discórdia com outra pessoa. Como suas palavras inflamaram a situação?
4. Agora, imagine que aquela situação poderia ter tido outro desdobramento se você tivesse trocado seu orgulho por humildade. O que você poderia ter dito para apagar o fogo da discórdia em vez de inflamá-lo?
5. Descreva uma ocasião em que o Espírito Santo estava comandando-o a dizer ou fazer algo que poderia evitar ou cessar um conflito com alguém. Você obedeceu ao comando ou não? O que aconteceu então?
6. Certa quantidade de sofrimento é necessária para nos dar a graça de engolir nosso orgulho. Descreva uma situação em que você engoliu seu orgulho e resistiu à discórdia.

Senhor, eu te entrego minha necessidade de defender, exaltar e fortalecer o ego, convencendo a todos de que estou sempre certo. Reconheço que somente tu, Senhor, é que estás certo. E mesmo que eu sinta que estou certo em algumas situações, isso jamais justifica a discórdia. Submeto minha vida totalmente a ti, escolhendo-te como meu único defensor.

CAPÍTULO TRÊS

Senhor, não vejo tua força nem tua bênção em minha vida

Você se pergunta por que não está prosperando, apesar de estar servindo a Deus? Você está entregando sua vida e seu tempo à igreja ou ao ministério, e ainda assim não consegue ver esses projetos crescendo em número e força espiritual? Por quê? Se você respondeu sim a qualquer uma dessas perguntas, a resposta pode ser a presença do conflito e da discórdia em sua vida — em seu lar, ambiente de trabalho ou ministério.

Nos primeiros anos de nosso ministério, Dave e eu nos dedicávamos a várias atividades religiosas ou espirituais, mas faltava a paz em nosso lar. Tudo estava bem por um minuto, e de repente estávamos todos loucos — gritando e berrando. Ou vivenciávamos o outro extremo: todos se mantinham em um silêncio mortal, tão frio e quieto que era óbvio que os sentimentos haviam sido feridos ou que pensamentos errôneos estavam vigorando.

Lembro que nossa família discutia durante a viagem inteira até a igreja, no domingo de manhã, e todos fingiam que estava tudo bem assim que encontrávamos os membros que conhecíamos. Eu fazia isso o tempo todo durante a cerimônia, usando minha "cara de igreja" e batendo palmas nos momentos certos, exclamando "amém!" nos momentos apropriados, fingindo prestar atenção ao pastor enquanto ele pregava. No entanto, passava o tempo todo planejando como iria ignorar Dave e as crianças até que me pedissem desculpas. Certamente não tinha a intenção de voltar para casa e preparar-lhes um gostoso jantar. Eu, na verdade, nem planejava falar com eles.

Dave e eu muitas vezes falamos sobre força, prosperidade, cura e sucesso nesses dias, mas não possuíamos nenhuma dessas coisas. Era como se ficássemos vendo as vitrines. Podíamos ver o que Deus nos dissera ser nosso de direito, mas não sabíamos como ter essas bênçãos em nossas mãos.

Chegamos a tentar orar a prece da concórdia, porque a Bíblia diz em Mateus 18:19: "Também lhes digo que se dois de vocês concordarem [se harmonizarem, fizerem uma sinfonia em conjunto] na terra em qualquer assunto [ou qualquer coisa] sobre o qual pedirem, isso lhes será feito por meu Pai que está nos céus."

No entanto, mesmo nessa oração, falhamos em ver os poderosos resultados que nos disseram que veríamos. Então Deus revelou-nos que ele não estava satisfeito com sacrifícios religiosos em uma casa cheia de discórdia. "Melhor é um pedaço de pão seco com paz e tranquilidade do que uma casa na qual há banquetes [onde se oferecem sacrifícios] e muitas brigas." Ele não está procurando cristãos falsos. Ele quer a coisa verdadeira — não quer gente que sabe falar, mas não sabe agir.

Deus responde à oração da concórdia quando ela é dita por gente que concorda. Se passamos a semana inteira brigando, não haveria qualquer força em juntar as mãos, baixar a cabeça e nos unir para clamar a Deus. A oração da concórdia só tem efeito quando dita por aqueles que "se harmonizam, fazem uma sinfonia em conjunto".

Deus nos disse: "Mantenha a discórdia fora da sua vida, fora do seu lar, fora do seu ministério. Siga o caminho da integridade e faça seu trabalho com excelência."

Depois que Deus expôs a discórdia em nossa vida, comecei a notar um padrão. Não somente minha família tinha a tendência de brigar nas manhãs de domingo a caminho da igreja, mas também notei que Dave e eu sempre tínhamos algum tipo de conflito logo antes de um seminário que estaríamos ministrando. Ficou óbvio para mim que Satanás estava suscitando a dissensão para mantermo-nos longe da palavra de Deus e do nosso desenvolvimento espiritual. Ele usava da discórdia para impedir a unção de Deus sobre minha vida e meu ministério.

A discórdia bloqueia a força de Deus

A Bíblia ensina que a semente da palavra de Deus deve ser semeada em um coração pacífico por alguém que trabalhe pela paz e faça a paz. Tiago escreveu: "O fruto da justiça [da conformidade com os desígnios de Deus em pensamento e ação é o fruto da semente que] semeia-se em paz para os pacificadores [que trabalham pela paz e fazem a paz para eles mesmos e para os outros, essa paz que significa concórdia e harmonia entre indivíduos, sem perturbações, em uma mente pacífica livre de temores e de paixões avassaladoras e conflitos morais]" (Tiago 3:18).

Como ministra, devo manter-me em paz comigo mesma e ser uma pacificadora se eu desejo que a unção flua de mim para ajudar as pessoas.

À medida que viajamos e ministramos em várias igrejas, achei interessante notar a alta frequência com que os pastores chegam à igreja sozinhos de carro, separados do resto de suas famílias. No começo achei isso um tanto estranho, mas alguns deles tinham uma razão dupla para fazê-lo assim. Primeiro, muitos pastores gostam de chegar cedo à igreja para orar e meditar sobre o sermão. Em segundo lugar, querem estar em paz quando lá chegam, e descobriram que é mais fácil permanecer em paz quando dirigem sozinhos.

A Bíblia também ensina que o inimigo vem imediatamente após a semente ser lançada ao solo, querendo roubar a palavra. "O semeador semeia a palavra. Algumas pessoas são como a semente à beira do caminho, onde a palavra é semeada. Logo que a ouvem, Satanás vem e retira [à força] a palavra nelas semeada" (Marcos 4:14,15).

DEUS RESPONDE À ORAÇÃO DA CONCÓRDIA QUANDO ELA É DITA POR PESSOAS QUE CONCORDAM.

Satanás tem a intenção de roubar a Palavra antes que ela crie raízes em nós. Ele sabe que, se ela criar raízes em nosso coração, começará a produzir bons frutos. Devemos trabalhar na sabedoria de Deus de dentro para fora, mostrando-nos mais espertos que o inimigo. Não podemos nos sentar passivamente e permitir que o demônio nos perturbe antes que cheguemos à igreja de modo que não possamos ouvir ou reter o que é dito.

Tampouco podemos permitir que ele nos deixe perturbados ao deixarmos a igreja. Para crescer espiritualmente, precisamos ser capazes de refletir sobre a Palavra que foi pregada e ensinada. Jesus disse: "Considerem atentamente o que vocês estão ouvindo. Com a medida [de pensamento e estudo] com que medirem [a verdade que vocês ouvirem], vocês serão medidos [na virtude e no conhecimento]; e ainda mais [além disso] lhes acrescentarão" (Marcos 4:24).

Não importa quão ungido seja quem está falando, essa unção não terá efeito em você se você está em discórdia quando ouve a palavra de Deus. A discórdia não somente bloqueia a força do espírito, mas bloqueia também as bênçãos de Deus.

A discórdia bloqueia as bênçãos de Deus

Muitos crentes participam de seminários e leem livros sobre prosperidade e sucesso. Isso é bom, porque precisamos nos manter instruídos e informados, mas a Bíblia deixa claro por que a prosperidade não alcança algumas pessoas. De fato, não alcançou nossa família por um bom tempo. Tínhamos na mente o conhecimento adequado — nós ofertávamos, confessávamos e acreditávamos —, mas ao mesmo tempo vivíamos em discórdia e não fazíamos ideia do que poderia estar bloqueando nossas bênçãos. A discórdia mata a bênção e a força de Deus. Já testemunhei isso muitas e muitas vezes.

Uma vez escutei a história de um casal cristão que perdera todos os bens em um incêndio. Todos os que os conheciam estavam confusos pela perda, porque, para todo efeito, esse casal parecia viver a perfeita vida cristã. Estavam fazendo tudo certo.

Ambos haviam acabado de se graduar em um seminário, preparando-se para o ministério de tempo integral. Tinham um adesivo no para-choque, um gravador com fitas de sermões; tinham um broche com o nome de Jesus. Conheciam a Palavra o discurso deles era adequado ao que conheciam. Assim, a tragédia provocou o questionamento: como uma coisa dessas pode ter acontecido a pessoas que estavam trilhando o caminho da fé?

Você pode conhecer casos parecidos. Lembre-se de que você não sabe o que se passa atrás de portas fechadas. Permanece invisível. Esse casal posteriormente admitiu que Deus vinha lidando com eles sobre os conflitos no casamento, mas que eles não se humilharam e não obedeceram.

Mais uma vez, uma casa cheia de sacrifícios, porém em discórdia, não agrada ao Senhor. Esse jovem casal pode ter se sacrificado para cursar o seminário, mas nenhuma de suas oferendas da carne foi compensação satisfatória para a porta que haviam aberto ao demônio por meio da desobediência e da discórdia. O casal sabia qual a coisa certa a fazer. Ambos sabiam que Deus lhes estava dizendo para resistir à discórdia e viver em harmonia um com o outro. O Senhor vinha lidando com eles, mas eles não davam ouvidos a seus alertas. Dessa forma, o demônio tirou vantagem da porta aberta e trouxe destruição.

Conheci outro casal que pagava o dízimo e comparecia à igreja regularmente, e ainda assim enfrentava problemas constantes de doenças, pobreza, pertences quebrados, carros defeituosos. Eles não tinham vitória. Após muito tempo lutando contra todos esses problemas, ambos finalmente revelaram em uma sessão de aconselhamento que havia tanta animosidade e discórdia entre eles que não dormiam juntos como marido e mulher há anos.

O conflito e a discórdia bloqueiam as bênçãos de Deus. Mas, onde houver unidade, Deus ordenará suas bênçãos.

O saldo final

Temos muitas promessas na palavra de Deus de que ele irá nos abençoar e nos fazer prosperar. Por exemplo: "Como é bom e agradável quando os irmãos convivem em união! É como óleo precioso derramado sobre a cabeça, que desce pela barba, a barba de Arão [o primeiro grande sacerdote], até a gola das suas vestes [consagrando o corpo todo]. É como o orvalho do [imponente monte] Hermom quando desce sobre os montes de Sião. Ali o Senhor concede a bênção da vida para sempre" (Salmos 133:1-3).

Eu amo esse salmo. Ele confirma o que tento ensinar. A vida é agradável quando as pessoas vivem em unidade e mantêm a discórdia fora de suas vidas. Por outro lado, não há nada pior que um lar ou um relacionamento tomado pela contrariedade raivosa da discórdia.

Talvez seja por isso que a unidade é um dos últimos assuntos sobre o qual Jesus conversou com seus apóstolos antes de ser preso e crucificado. Durante a Última Ceia, ele orou: "que todos sejam um, Pai, como tu estás em mim e eu em ti. Que eles também estejam em nós, para que o mundo creia que tu me enviaste" (João 17:21).

Você pode aprender bastante sobre a arte de dar seu testemunho ou pregar no seminário. Você pode se especializar em passar a mensagem da salvação memorizando versículos da Bíblia ou escutando sermões em CD enquanto dirige seu carro. Você pode até comunicar nosso Salvador ao usar um broche com o nome de Jesus em suas roupas. No entanto, se você fizer tudo isso e viver em discórdia em vez de unidade, estarão ausentes em sua vida tanto bênção como poder espiritual.

Muitos vivem em constante confusão, perguntando-se por que as promessas de Deus não alcançam suas vidas. As promessas de Deus não podem simplesmente ser "exigidas", mas sim herdadas, à medida que entramos em um relacionamento "filial" com nosso Pai. Os "filhos de Deus" são "conduzidos pelo Espírito de Deus" (Romanos 8:14,15).

Se você se pergunta por que não está vivenciando o poder de Deus e as bênçãos em sua vida, olhe para seus relacionamentos. Você tem problemas com seu cônjuge, seus filhos, seus colegas ou seus irmãos de fé? Você é fonte de conflitos para sua igreja ou seu trabalho?

Embora seja tentador "tirar o corpo fora" e evitar encarar os motivos por trás do que nos sobrevém, quando em nossa vida falta o que Deus nos prometeu, temos que estar dispostos a fazê-lo se quisermos as dádivas de Deus.

SE VOCÊ SE PERGUNTA POR QUE NÃO ESTÁ VIVENCIANDO O PODER DE DEUS E AS BÊNÇÃOS EM SUA VIDA, OLHE PARA SEUS RELACIONAMENTOS.

Os testes podem vir por diversas razões. A desobediência é uma delas. Você pode ter problemas que nada têm a ver com desobediência ou discórdia. O demônio o ataca, tentando destruir sua fé. Se resiste firmemente a ele, você chegará à vitória. Por outro lado, é possível que suas relações turbulentas sejam a raiz do problema.

Talvez você não consiga viver em paz com todo mundo com quem convive. Se assim for, não receie que Deus deixe de abençoá-lo. A Palavra diz: "Façam todo o possível para viver em paz com todos" (Romanos 12:18). Ao encarar a verdade, tente resistir à discórdia e viva em harmonia; Deus o libertará para viver a vida que você foi feito para viver. Se você for um pacificador, as bênçãos e o poder de Deus irão fluir.

Resumo e reflexão

Muitas pessoas estão em busca da prosperidade e querem o poder de Deus em suas vidas. A Palavra de Deus nos diz o que é necessário se quisermos isso: "Fiel [confiável e valoroso e assim sincero em relação a suas promessas] é Deus, o qual os chamou à comunhão com seu Filho Jesus Cristo, nosso Senhor. Irmãos, em nome de nosso Senhor Jesus Cristo suplico a todos vocês que concordem uns com os outros no que falam, para que não haja divisões entre vocês; antes, que todos estejam unidos em um só pensamento e em um só parecer. Meus irmãos, fui informado por alguns da casa de Cloe de que há divisões [discórdias] entre vocês" (1Coríntios 1:9-11).

1. Você atesta o poder e as bênçãos de Deus em sua vida? Se sim, de que maneiras? Se não, olhe para seus relacionamentos. O que você detecta que poderia estar criando obstáculos ao fluxo das bênçãos de Deus para sua vida?

2. Descreva o que acontece em sua casa nas manhãs de domingo e quando você está voltando da igreja para casa. Você consegue enxergar um padrão? Estará o inimigo tentando roubar a palavra de Deus antes que seja plantada em seu coração? Você se envolve em discussões e briguinhas constantemente?
3. Que estratégias você pode empregar no futuro para romper esse padrão e estabelecer relacionamentos harmoniosos?
4. Deus demanda obediência à sua Palavra poderosa. À luz de nossa discussão sobre conflito e discórdia, reescreva o seguinte versículo usando suas próprias palavras. Jesus orou: "para que todos sejam um, Pai, como tu estás em mim e eu em ti. Que eles também estejam em nós, para que o mundo creia que tu me enviaste" (João 17:21).
5. Procure em seu passado uma ocasião em que você vivenciou pessoalmente o tipo de unidade de que trata 1Coríntios 1:9-11. Como você testemunhou o poder ou a bênção de Deus nessa situação?
6. Podemos ser acometidos por males que não têm absolutamente nada a ver com discórdias. Por outro lado, podemos estar soterrados de problemas que entraram em nossa vida pela porta aberta da discórdia. Que situações desafiadoras ou problemas em sua vida foram causados pela discórdia?

Senhor, mostra-me como dissipar situações potencialmente eivadas de discórdia. Ajuda-me a reconhecer quaisquer padrões de discórdia em meus relacionamentos, particularmente os que podem estar criando obstáculos em meu crescimento espiritual e bloqueando teu poder e tuas bênçãos em minha vida. Ajuda-me a escolher a sabedoria divina de harmonia, unidade e paz. Mostra--me como posso restaurar a paz em relacionamentos partidos ou prejudicados por ofensas e mal-entendidos. Faço um novo compromisso de tornar-me um pacificador sempre que possível com tua ajuda. Amém.

CAPÍTULO QUATRO

O pastor não deve gostar de mim

ANOS ATRÁS, QUANDO DAVE e eu nos tornamos cristãos, comparecíamos a uma igreja carismática que tinha poucos meses de existência. A congregação crescia rapidamente, e a frequência já havia atingido mais de 400 pessoas. As dádivas do Espírito eram evidentes; a unção de Deus e as revelações frescas fluíam para as pessoas. Tudo parecia ser do jeito que devia ser. Mas hoje essa igreja já não existe. O que aconteceu?

A resposta é: discórdia! O demônio é o supremo estrategista, e ele trabalha duro para jogar os cristãos uns contra os outros, sabendo que o Espírito Santo só trabalha em uma atmosfera de paz. Se o demônio puder suscitar problemas em uma igreja, ele eficientemente fecha a porta de Deus naquele lugar, é esse seu objetivo. Para isso ele traça um plano e não se incomoda em trabalhar fora de cena por longos períodos. Ele mente para as pessoas, incitando-as umas contra as outras. Ele sabe exatamente que botões apertar, e o momento certo, para que fiquemos com raiva uns dos outros e sejamos desagregadores.

Satanás quer destruir a igreja de Deus. Vamos dar uma olhada em duas de suas estratégias favoritas, para que você possa aprender a reconhecer esses sinais indicativos de que Satanás possa estar manipulando-o, ou a outros, para inflamar a discórdia em sua igreja ou em seu ministério.

Estratégia nº 1: Faça com que pessoas inseguras transformem pequenas ofensas em grandes ofensas

O inimigo costuma usar pessoas com mágoas e cicatrizes emocionais para causar conflitos. Essas pessoas fazem e falam exatamente o que "sentem". Não operam sob autocontrole, tampouco pedem a Deus para auxiliá-las na cura dessas mágoas, algo que um cristão mais maduro ou seguro de si faria. Em vez disso, elas deixam Satanás amplificar os incidentes em suas mentes e fazê-los parecer bem mais importantes do que realmente são. O demônio quer que esses cristãos acreditem que as pessoas tramam contra eles com o propósito de magoá-las.

Eis um exemplo de como essa estratégia funciona. Digamos que uma mulher em um shopping lotado encontre seu pastor. Ele a saúda, mas logo se desculpa, dizendo que não tem tempo para conversar. Ela fica magoada por não ter recebido um cumprimento mais caloroso e por ele ter cortado a conversa de modo tão ríspido. Enquanto repisa sua mágoa, ela pensa: "Ele não gosta de mim. Foi bem rude. É bem frio emocionalmente para alguém que se propõe a ser o pastor do povo de Deus." Ela começa a sentir que o pastor estava tentando se afastar dela. Ela começa a se "lembrar" de outras ocasiões em que achou que o pastor não tinha sido muito amigável — pelo menos não tanto quanto era com os outros.

O demônio martela a cabeça dessa mulher por dias a fio em relação a isso, e sua raiva cresce. Sua família nota que há alguma coisa errada com ela, e por isso perguntam. Ainda que o Espírito Santo tente lhe dizer que mantenha a boca fechada, ela conta o incidente. Eles ouvem somente o lado dela dessa história, que agora é bem diferente do que realmente se passou.

As opiniões dela afetam a opinião dos seus familiares. Na igreja, eles fofocam a respeito do incidente e começam a perguntar aos outros se não acham o pastor antipático. Essas pessoas, por sua vez, começam a observar o pastor e suas atitudes para com elas (do mesmo modo que os fariseus observavam Jesus continuamente, esperando flagrá-lo em algum mau comportamento).

O pastor sente que há algo errado. Sente a "pressão" na atmosfera da igreja durante os cultos, mas não consegue identificar a causa porque suas ações são puramente inocentes. Talvez ele não estivesse se sentindo bem naquele dia que encontrou a mulher no shopping. Ele poderia estar muito cansado ou preocupado com questões financeiras do programa de construção da igreja. Ele poderia estar atrasado para uma reunião e só tinha tempo para um cumprimento rápido. Infelizmente, o pastor não fazia ideia de que havia ofendido a mulher ou que ela estivesse se ocupando em espalhar a discórdia no meio da igreja.

O DEMÔNIO É O SUPREMO ESTRATEGISTA, E TRABALHA DURO PARA JOGAR OS CRISTÃOS UNS CONTRA OS OUTROS, SABENDO QUE O ESPÍRITO SANTO SÓ TRABALHA EM UMA ATMOSFERA DE PAZ.

Se acha que esse exemplo é um pouco exagerado, você está errado. Esses incidentes acontecem o tempo todo no Reino. Provavelmente mais dano é causado pelo espírito da ofensa que por qualquer outro espírito. É o inimigo número um do cristão. Abre a porta para multidões de problemas profundos e perigosos com os quais poucos sabem lidar.

A Bíblia afirma claramente que devemos perdoar a quem nos tem ofendido — e de modo rápido, frequente e livre. (Falaremos mais sobre isso no Capítulo 8.) Pessoas inseguras, como a mulher da história acima, trazem em si uma raiz de rejeição. Precisam de um bocado de confirmação expressa de que são aceitas. Faltam--lhes sentimentos de valor próprio que venham de dentro, assim, elas os buscam em fontes externas. Precisam que outras pessoas afirmem sua aceitação por intermédio de atos e palavras. Evidentemente, esses cristãos não têm a intenção de causar problemas quando se sentem ofendidos; eles só querem se sentir melhor a respeito de si mesmos.

Já me deparei com muitos cristãos como esses em meus anos de ministério, gente que se ofende quando eu não lhes dou atenção suficiente. Lembro-me de uma mulher que ficou muito ofendida comigo e que achava que eu não gostava nem um pouco dela. Quando a história chegou aos meus ouvidos, fiquei surpresa. Eu gostava dessa pessoa e, até onde eu sabia, sempre tinha sido amigável com ela quando a encontrava. No entanto, ela estava dizendo às pessoas que eu não lhe dava a mesma atenção que dava para outros. Dizia que eu passava direto por ela sem falar. Quando me contaram sobre uma ocasião particular em que eu a teria supostamente esnobado, a verdade era apenas que eu não a havia visto. Eu realmente não a havia visto.

Se consegue se identificar com qualquer uma das mulheres acima — e você sente que há pessoas específicas que não gostam de você ou que o evitam — você precisa confiar em Deus para curar suas feridas emocionais. Ele é o único que pode ajudá-lo a começar a se sentir melhor a respeito de si mesmo. Sua confiança tem de vir dele.

Quando perguntei ao Senhor por que ele simplesmente não assegurou que eu tivesse visto a mulher que ficou tão ofendida quando não a cumprimentei, ele revelou a mim que ele a havia "escondido" de mim. Ele disse: "Ela acha que a coisa de que ela mais precisa neste mundo é que você preste atenção nela. Mas não é disso que ela precisa. Ela precisa colocar sua confiança em mim. Quando ela conseguir isso em sua vida, eu permitirei que ela receba mais atenção de seus pares e das pessoas que ela admira."

Deus quer operar em nossa vida. Para conseguir fazê-lo, ele tem que abrir velhas feridas para limpá-las. Enquanto nossas inseguranças forem atendidas pelos outros, nunca ficaremos totalmente bem. Cada "conserto" somente irá prolongar nosso problema. É como tapar uma grande ferida com um pequeno curativo. Deus quer nos sarar, mas nós continuamos a pôr curativos no problema.

A insegurança é um veneno que afeta todas as áreas da vida de uma pessoa. A cura pode ser um pouco dolorosa, mas é melhor do que ficar emocionalmente mutilado pelo resto da vida. Devemos aprender a confiar em Deus pela atenção que ele sabe que precisamos.

O que seria, então, uma resposta divina quando alguém não nos dá a atenção que julgamos merecer? Paulo tinha isso a dizer à igreja dos gálatas na hora da questão da discórdia na fé: "Toda a Lei [que diz respeito ao relacionamento humano] se resume em um só mandamento: 'Ame o seu próximo como a si mesmo.' Mas se vocês se mordem e se devoram uns aos outros [por meio de discórdias], cuidado para não se destruírem mutuamente [você e sua fraternidade inteira]" (Gálatas 5:14,15).

Ame seu próximo como a si mesmo... faça aos outros o que você gostaria que fizessem com você. Você gostaria que alguém o julgasse rispidamente, não demonstrasse misericórdia, fofocasse sobre você e espalhasse a discórdia em sua igreja ou organização? É claro que não! Nem eu.

PROVAVELMENTE MAIS DANO É CAUSADO PELO ESPÍRITO DA OFENSA DO QUE POR QUALQUER OUTRO ESPÍRITO.

Quando alguém o ofende, resista à discórdia ao responder com misericórdia e compreensão. Dê à pessoa o benefício da dúvida. Lembre-se de que o amor sempre crê no melhor (veja 1Coríntios 13:7).

A palavra de Deus é clara. Tenha cuidado em relação ao problema da discórdia. Se deixar ela entrar, ela se espalhará. E se ela se espalhar, você e toda a igreja podem ser arruinados por ela.

A segunda estratégia que o demônio adora empregar é esta:

Estratégia nº 2: Derrubar jovens ministros antes que eles possam derrubá-lo

Conheço pessoas que hoje já não estão em meu ministério porque morderam a isca do demônio. Não só abriram a porta para a discórdia, mas a convidaram para entrar. Deixe-me contar dois exemplos diferentes que eu observei pessoalmente.

O primeiro incidente ocorreu há muitos anos quando comecei a ter uma sensação de "morte" em nossos encontros semanais. A atmosfera parecia pesada. Então notei que sempre que abordava grupos que estivessem conversando, todos ficavam de repente em silêncio. Eu tinha a estranha sensação de estar invadindo. Pessoas de quem eu fora próxima há muitos anos pareciam desconfortáveis em minha presença. Tentei descartar esses sentimentos porque eu acreditava que essas pessoas eram minhas melhores amigas.

Muros que não se viam continuaram sendo erguidos em todo lugar. Um dia, uma das pessoas com quem eu normalmente almoçava não quis mais sair para almoçar comigo. Também notei que, ao conversar sobre algo que eu queria fazer no ministério ou que eu acreditava ter ouvido de Deus, eu recebia silêncio e uma sensação estranha no lugar do encorajamento habitual. Era como se todos soubessem de algo que eu não sabia, e que ninguém queria me contar.

Quando o caso foi revelado, o que sempre acontece, os relacionamentos foram arruinados e as pessoas recuaram em sua relação pessoal com Deus. Acredito que seja bem possível que muitos grandes ministérios tenham sido contaminados pelo inimigo por meio do uso eficiente da discórdia.

O que causou essa devastação? Uma mulher que tinha praticado feitiçaria há muitos anos se envolveu com nossa igreja. Ela confessou que havia finalmente se dado conta de que estava perdida, e que havia renascido e sido preenchida pelo Espírito Santo; e queria que sua vida fosse endireitada. Todo mundo ficou feliz por ela. Todos nós amamos testemunhar a libertação das pessoas.

Essa mulher logo se envolveu em várias áreas do ministério. Passou a frequentar o seminário no qual eu ensinava três vezes por semana. Comparecia às reuniões semanais em nossa igreja-mãe. Uniu-se ao ministério externo para os debilitados mentais e frequentava com fé todas as orações matinais na igreja.

A respeito dela, tudo parecia estar certo, mas eu tinha a sensação de que alguma coisa estava errada. Quando falo "sensação" errada, estou falando de sensações espirituais — não emocionais. Eu tinha desconfiança no espírito em relação a ela. Eu não conseguia me sentir confortável em sua presença. Queria ir embora cada vez que ela se aproximava.

Um dia, na oração matinal das seis horas, passei por ela e quase tive uma palpitação. Senti em meu espírito que ela estivera orando por mim — e eu não queria que ela o fizesse. Mais tarde, descobri que ela estivera orando, mas que falava ao reino das trevas, enviando pragas, discórdia e outras formas de maldade sobre meu ministério.

A confusão logo tomou conta da congregação. Acusações contra os líderes começaram a ser disparadas. Havia mentiras e fofocas. Era difícil saber em quem acreditar. Pessoas que frequentavam a igreja há anos nos abandonaram, e muitas eram líderes.

Acho interessante que, assim que a igreja caiu no caos espiritual, a suposta ex-feiticeira tenha desaparecido. Satanás a havia empregado para espalhar suas mentiras. Deslanchara uma verdadeira batalha contra a mente das pessoas, tentando alguns com julgamento e crítica, e morderam a isca, fofocando pelas costas. A discórdia se espalhara. Uma contrariedade raivosa estava fluindo, e muitos foram arrastados pela corrente.

Levaram-se meses para reparar os danos nos relacionamentos, mas, por fim, as coisas voltaram ao normal. Hoje a igreja está florescendo, e Deus abençoa muito nosso ministério. Não só sobrevivemos ao ataque, como também tornamo-nos mais fortes por ele. Aprendemos uma lição que nos manteve fora da armadilha de Satanás em muitas ocasiões. No entanto, alguns dos indivíduos envolvidos ficaram estagnados e não progrediram.

O outro exemplo de como o demônio tenta destruir jovens ministérios envolve a igreja que eu mencionei no começo deste capítulo. Nesse caso, a discórdia entrou na igreja por intermédio do pastor e de sua esposa. Eram muito sensíveis e ficaram ofendidos quando membros da congregação sentiram que Deus os estava convocando para deixar a igreja e ir para outro local. Quando acontecia de o pastor ou sua esposa encontrarem pessoas que haviam deixado sua igreja, eram rudes com elas.

Esse casal fomentava a falta de perdão em seus corações. Queriam controlar suas ovelhas — não as guiar. Se eles quisessem que determinada pessoa se envolvesse em certo programa da igreja, e se essa pessoa se negasse, eles logo lhe davam um "gelo".

Eles me corrigiram e me colocaram no ostracismo por muitas vezes — uma delas por ensinar a Palavra. Dave e eu fomos anfitriões de um encontro em nossa casa por dois anos antes de passarmos a frequentar essa igreja, e sentíamos que deveríamos continuar a fazê-lo depois de ingressar na igreja. No entanto, o pastor achava que Dave deveria ensinar no encontro em casa, e não eu. Como quisemos obedecer à vontade de Deus, Dave tentou ensinar e eu tentei ficar quieta. Mas isso não funcionou, e voltei a ensinar. Eu tenho a vocação para ensinar, e Dave, não. Não importa o que os outros pensem ou digam, precisamos agir de acordo com o que Deus planejou para nós.

Outra vez, Deus pôs em meu coração que eu deveria comprar dez mil panfletos e organizar um grupo de mulheres que os distribuiriam nos shoppings uma vez por semana. As mulheres eram todas minhas amigas, e eu mesma iria pagar pelos panfletos. Meu objetivo era distribuí-los todos em seis semanas. Achei que pudesse passá-los à mão das pessoas que frequentavam o shopping e colocá-los em para-brisas nos estacionamentos até que os dez mil panfletos se esgotassem. Nunca me passou pela cabeça que precisaria da permissão do pastor para fazer isso! E porque eu não fiz isso, ele me repreendeu, dizendo que eu arruinaria meu casamento se eu não me submetesse ao meu marido. Mas não era Dave quem tinha um problema comigo — era o pastor quem tinha.

Ainda outra vez, o pastor me reprimiu por eu estar expulsando demônios. Finalmente, nosso nome foi removido do boletim da igreja como um dos lares aprovados para o encontro semanal. Esse tipo de tratamento aconteceu com muitas outras pessoas na igreja além de nós. O pastor achava estar fazendo a coisa certa, mas na verdade estava convidando a discórdia para entrar na igreja por meio de seu orgulho e de sua insegurança.

Dave e eu tivemos vontade de deixar a igreja e passar a frequentar outra, mas Deus insistiu que não partíssemos com raiva ou com falta de perdão em nosso coração. Éramos jovens cristãos à época, mas já sabíamos que não valia a pena nutrir mágoa contra o pastor ou contra outros líderes da igreja. Semana após semana esperamos que Deus nos liberasse. Semana após semana víamos a quantidade de frequentadores declinar.

Uma vez, durante minhas orações, tive uma visão de que estava comparecendo a um funeral. Não entendi completamente a visão, mas percebi que o funeral era o da igreja. Ela estava morrendo.

Restavam cerca de cem pessoas na congregação quando Deus finalmente nos liberou para frequentar outro templo. O número gradualmente minguou até zero, e a igreja teve que fechar suas portas (o ministério desse pastor foi por fim redimido, e mais tarde ele passou a ser empregado por Deus em outros ministérios).

Quando me lembro dessa situação e de alguns membros daquela igreja, surpreendo-me ao notar quantos deles têm ministérios bem conhecidos nacionalmente. Muitos desses ministérios nem haviam nascido — existiam apenas no coração de Deus. Outros estavam nos primeiros passos. Acredito que o demônio tenha querido destruir esses ministérios antes que eles pudessem destruí-lo.

Satanás quer atacar e devorar os jovens. Ele ataca os bebês e as criancinhas do Reino porque elas não sabem como se defender. Sou agradecida a Deus, pois havia alguém orando por mim à época. Talvez eu nunca saiba quem foi, mas sei que as orações de alguém foram empregadas para salvar-nos das garras da discórdia em mais de uma vez.

Faça da paz sua meta

A paz e a unidade são os principais objetivos para a igreja. Devemos nos preocupar uns com os outros. Se virmos um irmão ou irmã do Senhor enraivecendo-se ou contrariando-se, devemos auxiliá-los a recuperar a paz, se possível. Esse pode ser um dos significados da instrução bíblica de ser "pacificador".

Nunca se esqueça do poder destrutivo da discórdia, que arrasa relacionamentos em todos os níveis e em todos os aspectos de nossa vida. Se você consegue aprender a reconhecer a discórdia e a lidar com ela, irá impedir boa parte dos acontecimentos destrutivos iminentes. No próximo capítulo, vamos dar uma olhada em uma última forma de destruição provocada pela discórdia — nossa saúde física.

Resumo e reflexão

É importante irmanar-se a outros crentes em Cristo que estejam livres da discórdia. A Bíblia diz em Hebreus 12:14,15: "Esforcem-se para viver em paz com todos e para serem santos; sem santidade ninguém [jamais] verá o Senhor. Cuidem que ninguém se exclua da graça [e da bênção espiritual] de Deus; que nenhuma raiz de amargura [rancor ou ódio] brote e cause perturbação, contaminando muitos."

1. A Bíblia diz: "Estejam alertas e vigiem. O Diabo, o inimigo de vocês, anda ao redor como leão [com fome feroz], rugindo e procurando a quem possa devorar" (1Pedro 5:8). De acordo com este capítulo, quais são as duas estratégias favoritas de Satanás para destruir a igreja?
2. Satanás já empregou alguma dessas duas estratégias em alguma igreja com a qual você esteve envolvido? Descreva o que aconteceu.
3. Você já se sentiu ofendido por seu pastor ou por alguém de sua igreja? Como Satanás armou para separá-lo dos outros e os outros de você? O que aconteceu? Qual teria

sido a melhor alternativa para lidar com seu sentimento de ofensa?

4. Você tem uma raiz de rejeição em sua vida? Explique.
5. Você está abrigando ofensas profundas em seu coração contra outros cristãos? Explique.
6. Vamos supor que você seja um médico e que sua igreja seja o paciente, e que o conflito e a discórdia sejam a doença. Escreva uma receita para sua igreja usando o que se diz em Gálatas 5:14,15.

Senhor amado, perdoo todos aqueles contra os quais abriguei ofensas profundas. Peço-te que sejam perdoados por qualquer pecado que tenham cometido contra mim e que meu amor e minha amizade com eles sejam restaurados na época propícia. Fortalece minhas inseguranças e ajuda-me a não ser facilmente ofendido. Senhor, escolhi trilhar o caminho de Jesus, amando sem restrições e perdoando a todos. Dá-me um coração de amor para com todos os meus irmãos e irmãs em Cristo, especialmente aqueles que me trataram mal. Em nome de Jesus, amém.

CAPÍTULO CINCO

Dor de cabeça e nas costas... de novo?

SEMPRE FUI UMA PESSOA INTENSA. Nos primeiros anos de meu casamento, quando faxinava a casa, eu dava duro e, se alguém fizesse alguma bagunça logo depois de ter terminado as tarefas, eu ficava realmente irritada. Queria uma casa para se olhar — não para se morar. Sabia como trabalhar, mas não sabia como viver em harmonia com os outros.

Algumas pessoas comem mais quando estão com raiva. Outras comem para se reconfortar quando estão magoadas. Eu sempre perdia o apetite quando estava chateada ou com raiva. Ainda bem que era assim, porque senão estaria obesa hoje, já que na maior parte do tempo eu estava chateada com alguma coisa. Brigava comigo mesma, com Dave, com as crianças, com os membros da família, com vizinhos e até com Deus.

Quando ficava com raiva, permanecia assim por dias a fio ou até semanas. Eu conseguia disfarçar minha raiva das pessoas a quem queria impressionar, mas minha vida interna estava quase sempre em turbulência. Ficar com raiva e contrariada parecia me dar mais energia por um tempo, mas, quando a raiva se esvaía, eu sentia como se alguém tivesse tirado a tomada da parede e esgotado toda minha energia.

Apesar de me sentir assim a maior parte do tempo, como a maioria, eu nunca havia associado meu mal-estar à raiva. Eu tinha dores de cabeça, nas costas, problemas no cólon, tensão em meu pescoço e nos ombros. Os médicos me encaminhavam para exames, mas não conseguiam encontrar nada de errado em mim, e concluíam que meus problemas físicos decorriam do estresse. Isso me deixava com mais raiva ainda! Eu sabia que estava doente e, até onde percebia, não era o estresse que estava causando o mal-estar.

Mas eu estava errada. Não compreendia o vínculo entre a discórdia e o estresse, nem como o estresse afetava meu corpo.

O vínculo entre a discórdia e o estresse

Quanta pressão nosso corpo pode suportar? O estresse pode ser definido como uma angústia ou distensão mental, emocional ou física. Originalmente, era um termo de engenharia. Os engenheiros o usavam para se referir ao volume de pressão ou peso que podia ser colocado sobre a estrutura de metal de um edifício, sem que ele desmoronasse. Hoje em dia, há mais gente desmoronando que edifícios!

Milhares estão doentes, e acredito que uma boa parte de nossas doenças são causadas, literalmente, por mal-estar: *estar mal.* Nada é mais fisicamente estressante para nosso corpo que a raiva ou os aborrecimentos — especialmente quando nos perseguem por um tempo longo demais. Não é de se admirar que a Bíblia diga: "Quando vocês ficarem irados, não pequem. Apaziguem a sua ira [sua exasperação, sua fúria ou indignação] antes que o sol se ponha"

(Efésios 4:26). O apóstolo Tiago escreveu: "Meus amados irmãos, tenham isto em mente: sejam todos prontos para ouvir [um ouvinte disposto], tardios para falar e tardios para irar-se" (Tiago 1:19).

Deus nos criou para a retidão, a paz, a alegria. Nosso corpo físico não foi feito para abrigar discórdia, seja ela na forma de preocupação, medo, ódio, amargura, ressentimento, rancor, ira ou ciúme. Ainda que o corpo possa suportar uma boa quantidade de abatimento e sobreviver, ele não pode aguentar o estresse diário de viver emoções negativas.

Nosso estresse interno muitas vezes surge a partir do estresse que sentimos vivendo em um mundo estressante e cheio de discórdia.

A vida muitas vezes contribuiu para nosso estresse

Não podemos viver neste mundo sem algum estresse. Deus criou nosso corpo para lidar, e lidar bem, com uma quantidade normal de estresse. Mas a própria vida parece se tornar cada vez mais estressante, particularmente para quem vive em uma sociedade como a nossa, na qual as pessoas estão sempre apressadas. O triste é que muitos estão indo para lugar nenhum, e sequer sabem disso. Tudo isso cria uma atmosfera tensa, sobrecarregada de discórdia.

AINDA QUE O CORPO POSSA SUPORTAR UMA BOA QUANTIDADE DE ABATIMENTO E SOBREVIVER, ELE NÃO PODE AGUENTAR O ESTRESSE DIÁRIO DE VIVER EMOÇÕES NEGATIVAS.

Os níveis de ruído estão crescendo de um modo alarmante. Há alguns anos ainda se podia parar ao lado de um carro no trânsito com as janelas levantadas e ouvir uma música relaxante ou alegre que fazia você se sentir um pouco melhor. Você conseguia até trocar um sorriso ou acenar para alguém que você nem conhecia.

Hoje já não é assim. A música que toca nos carros é muitas vezes tão barulhenta que faz você querer gritar. Se você sorrir ou acenar para alguém, podem achar que você tem motivações escusas. Se você ficar olhando tempo demais para alguém, essa pessoa pode gritar obscenidades para você.

Muitas famílias estão passando também por dificuldades financeiras. Em muitos lares, tanto o pai quanto a mãe têm que trabalhar para poder pagar as contas, ou o pai tem que assumir dois trabalhos. Muitas mães solteiras trabalham em dois ou três lugares, e, quando chegam em casa à noite, ainda têm que encarar todo o trabalho doméstico. Não é de se admirar que essas pessoas reclamem que estão cansadas, esgotadas e irritadas. Mesmo os que têm um só trabalho ficam esgotados e estressados com suas atividades.

Pessoas cansadas sucumbem às tentações mais facilmente do que aquelas que estão relaxadas. São mais vulneráveis à batalha espiritual — são inclinadas a emoções estressantes como a raiva, a frustração e a impaciência. Não é de se admirar que Deus tenha estabelecido que elas devam trabalhar seis dias por semana e ter então o sabádo — um dia em sete para repousar totalmente de todos os seus labores (veja Êxodo 20:8-10). Até mesmo Deus descansou de seu trabalho após seis dias criando o mundo (ver Gênesis 2:2).

Nosso corpo pode aguentar o estresse normal. Porém, quando tudo se torna excessivo ou fora de equilíbrio, muitas vezes sacrificamos nossa boa saúde. Quando Dave e eu iniciamos nosso ministério, vivenciei grande estresse. Sentia o peso da responsabilidade em meus ombros. Eu me preocupava quase que constantemente com os problemas potenciais. De onde viria o dinheiro? Como é que eu conseguiria espaço para falar às pessoas se ninguém me conhecia?

Como eu chegaria às estações de rádio? Eu vivia sob o medo e a dúvida — vivia sob estresse.

PESSOAS CANSADAS SUCUMBEM ÀS TENTAÇÕES MAIS FACILMENTE DO QUE AQUELAS QUE ESTÃO RELAXADAS.

Ainda que o estresse que eu sentia levasse a brigas com Dave, na maioria das vezes eu estava em discórdia com minhas circunstâncias. Não conseguia ver as coisas acontecendo tão rápido quanto eu gostaria que acontecessem. Eu tinha uma visão, e ela não estava progredindo no meu tempo. Tentava uma coisa, passava para outra, e nada acontecia.

Mais uma vez estava eu no consultório do médico, reclamando de dor de cabeça, dor nas costas e outros problemas físicos. Todos os doutores com quem me consultava diziam que os problemas eram decorrência do estresse, mas eu sabia que Deus havia me convocado para ser ministra em tempo integral, portanto não acreditava que meus problemas fossem causados por um trabalho estressante. Hoje posso ver claramente que o que os médicos haviam me dito era exato e preciso. Podia estar fazendo o trabalho que Deus havia me convocado para fazer, mas eu não havia ainda aprendido como fazê-lo em paz para não criar discórdia.

Tanto faz se a discórdia seja a causa ou o resultado de nosso estresse. Se ela não for observada, haverá mal-estar. Para compreender o porquê, é útil estar consciente das respostas do corpo ao estresse excessivo.

Compreendendo a resposta do corpo ao estresse excessivo

Deixe-me compartilhar com você o que se passa em nosso corpo internamente em resposta a esse tipo de estresse. Não sou médica, mas tentarei explicar do meu jeito o que acontece.

A cada vez que suas emoções (preocupação, ódio, amargura e assim por diante) chegam ao ponto de ebulição, seus órgãos internos têm que trabalhar mais pesadamente para acomodar a pressão. Quando eles começam a se desgastar, chegam os sinais da pressão a que foram submetidos.

A largada do estresse dispara um alarme que diz a seu corpo para se defender de uma ameaça. Só pensar em um evento irritante ou perigoso já aciona esse alarme. Quando isso acontece, seu cérebro envia o alarme à glândula adrenal (suprarrenal), que libera hormônios como a adrenalina, aumentando seu ritmo cardíaco, elevando sua pressão sanguínea, enviando glicose aos seus músculos e subindo sua taxa de colesterol. A ameaça do estresse põe em movimento uma cadeia complexa de respostas para preparar seu corpo para "lutar ou correr" — para atacar o que o está ameaçando ou fugir.*

Seu corpo comunica a seus órgãos: "Estou sob ataque! Ajude-me a combater isso, ou me tire daqui. Preciso de mais força e mais energia para lidar com essa emergência!" Seus órgãos começam a ajudar. São equipados para lidar com emergências. Mas, se você vive em um estado perpétuo de emergência, chegará um ponto em que os órgãos estarão exaustos de tentar lidar com tantas emergências, impedidos de lidar até com a pressão normal. De repente, algo se rompe.

Para visualizar melhor o processo, pegue um elástico e estique-o o máximo que puder. Depois, deixe-o relaxado. Faça isso por várias vezes. Depois de um tempo, você verá que o elástico perde sua elasticidade. Fica flácido. Se o processo continuar, finalmente, depois de uma esticada a mais que o tolerável, o elástico se rompe. Isso se assemelha ao que acontece em nosso corpo se continuarmos

---

* Hart, Archibald D. *The hidden link between adrenaline and estresse* [O vínculo secreto entre adrenalina e o estresse]. Dallas: Word Books, 1986

a esticá-lo vezes demais, por tempo demais. Algo se rompe na mente, nas emoções, na saúde física.

O estresse pode causar mal-estar ao destruir o sistema imunológico, a barreira do corpo contra germes e infecções. Os órgãos simplesmente se desgastam, e a pessoa "se sente" exausta.

Por fim, a doença chega. As pessoas dizem: "Não sei o que está errado, mas eu não me sinto assim tão bem." Elas têm dores de cabeça, dor nas costas, no pescoço e nos ombros, dor de estômago, úlceras, problemas no cólon e outras aflições. Quando falam aos médicos o que sentem, ouvem que têm "fraqueza adrenal" ou um "vírus" qualquer. Em muitas ocasiões, a raiz da doença está em anos de vida estressante, cheia de discórdia.

A boa notícia é que Jesus não nos deixou em um mundo que nos torna doentes sem nos apresentar solução. O que ele disse em João 16:33 foi, em minhas palavras, "quero que você tenha paz e confiança perfeitas. No mundo você passa por atribulações, por provas, aborrecimentos e frustrações, mas encha-se de alegria, porque eu superei o mundo [o destituí de sua capacidade de feri-lo e o conquistei para você]".

Viva positivamente

Ainda que pensamentos, palavras, emoções e relacionamentos negativos possam causar estresse — e que o estresse possa causar doença —, pensamentos, palavras, emoções e relacionamentos positivos podem trazer saúde e cura. Pense no que dizem as Escrituras: "O coração em paz dá vida ao corpo, mas a inveja apodrece os ossos" (Provérbios 14:30). Distúrbios emocionais como a raiva, a inveja e o ciúme corroem uma boa saúde e um corpo são. Uma mente calma e pacífica leva saúde a todo o ser.

"Meu filho, escute o que lhe digo; preste atenção às minhas palavras. Nunca as perca de vista; guarde-as no fundo do coração, pois são vida para quem as encontra e saúde para todo o seu ser" (Provérbios 4:20-22). O que é que traz vida e saúde? Meditar sobre a Palavra de Deus e não sobre o que nos causa estresse. Jesus é nossa paz. Ele é também a Palavra viva. Quando estamos de acordo com a Palavra, a paz é abundante e flui como um rio.

"Lembra-te do dia de sábado, para santificá-lo (retirado dos afazeres comuns e dedicado a Deus). Trabalharás seis dias e neles farás todos os teus trabalhos, mas o sétimo dia é o sábado dedicado ao Senhor, o teu Deus. Nesse dia não farás trabalho algum, nem tu, nem teus filhos ou filhas, nem teus servos ou servas, nem teus animais, nem os estrangeiros que morarem em tuas cidades" (Êxodo, 20:8-10). Deus nos disse para repousar nosso corpo por uma razão. Ele sabe que, quando tomamos conta de nós mesmos, nossos espíritos serão mais positivos e estaremos mais aptos para resistir às tentações de Satanás para engajar-nos na discórdia.

"Confie no Senhor de todo o seu coração e não se apoie em seu próprio entendimento; reconheça o Senhor em todos os seus caminhos, e ele endireitará [orientará] as suas veredas. Não seja sábio aos seus próprios olhos; tema o Senhor e evite [inteiramente] o mal. Isso lhe dará saúde ao corpo e vigor aos ossos" (Provérbios 3:5-8). Passei anos refletindo e tentando entender tudo, e isso afetou de modo adverso minha saúde. Mas aprendi a deixar minhas preocupações com Deus para que não tenha que viver sob constante pressão. Sinto-me muito melhor fisicamente agora do que me sentia quando tinha 35 anos. Por quê? Porque já não me preocupo.

Aprender a confiar em Deus também evitou a discórdia entre Dave e eu. No passado, eu ficaria insistindo, tentando fazer Dave ver as coisas do meu jeito. Agora eu me retiro e peço que Deus mude o que tiver que ser mudado.

"O coração bem disposto é remédio eficiente, mas o espírito oprimido resseca os ossos" (Provérbios 17:22). Como isso poderia ser dito de maneira mais clara? Uma pessoa feliz, de coração leve e alegre, será sempre uma pessoa saudável. Uma pessoa com raiva não é alegre nem feliz, e muito provavelmente tampouco será saudável.

A Palavra de Deus não só nos diz que a felicidade leva à boa saúde, como também nos diz como vivenciar a felicidade.

Corações felizes, corpos sadios

Há vários anos, quando eu tentava trilhar em paz o caminho, estava determinada a encontrar meios para desfrutar de uma vida pacífica. Uma ocasião deparei-me com esta passagem em 1Pedro: "Pois quem quiser amar a vida e ver dias felizes [bons, aparentes ou não] guarde a sua língua do mal e os seus lábios da falsidade [da traição, da trapaça]. Afaste-se do mal e faça o bem; busque a paz [harmonia, imperturbada por temores, paixões avassaladoras e conflitos morais] com perseverança [não meramente deseje relações pacíficas com Deus, com seus próximos e consigo mesmo, mas persiga-as, vá atrás delas!]" (1Pedro 3:10,11).

Ainda gosto de ler esse trecho e absorver a força de seus princípios para levar a vida diária com sucesso. Ele oferece quatro princípios específicos para os que querem desfrutar da vida — e proteger a saúde.

1. Guarde sua língua do mal

As palavras de Deus afirmam claramente que a força da vida e da morte está na boca. Podemos trazer a bênção ou a miséria para nossa vida com as palavras. Diz-se em Provérbios 12:18: "Há palavras que ferem como espada, mas a língua dos sábios traz a cura."

Quando falamos rispidamente, muitas vezes começamos uma discussão. Então escolha cautelosamente suas palavras, tenha sua boca repleta da Palavra de Deus, não de suas próprias palavras. Sua saúde irá melhorar!

2. Afaste-se do mal

Temos que agir para nos afastar da maldade ou nos retirar de um ambiente maligno. Isso pode significar que precisamos mudar nossas amizades e almoçar sozinhos em vez de sentarmo-nos em meio ao grupo de fofoca do escritório. Pode até significar solidão por um certo tempo. Novos começos requerem fins. O desejo de ter uma nova vida — repleta de retidão, paz e alegria — requer a morte de algumas coisas enquanto esperamos que Deus faça nascer as novas.

3. Faça o bem

A decisão de fazer o bem deve acompanhar a decisão de parar de fazer o mal. Pode parecer que uma automaticamente segue a outra, mas não é o caso. As duas são decisões definitivas. O arrependimento tem dois lados: ele exige o afastamento do pecado e a aproximação da retidão. Algumas pessoas afastam-se do pecado, mas nunca tomam a decisão de começar a fazer o bem. E o resultado é que são atraídas de volta ao pecado.

A Bíblia está repleta do seguinte "princípio de substituição positiva": "Portanto, cada um de vocês deve abandonar a mentira e falar a verdade ao seu próximo [...]. O que furtava não furte mais; antes trabalhe, fazendo algo de útil com as mãos" (Efésios 4:25, 28).

4. Busque a paz

Perceba que temos que procurá-la, buscá-la, ir atrás dela. Não basta meramente desejarmos a paz sem uma ação que acompanhe nosso desejo; temos que desejar a paz e agir. Temos que procurar a paz em nosso relacionamento com Deus, conosco e com os outros.

COMO ISSO PODERIA SER DITO DE MANEIRA MAIS CLARA? UMA PESSOA FELIZ, DE CORAÇÃO LEVE E ALEGRE, SERÁ SEMPRE UMA PESSOA SAUDÁVEL.

Quando comecei a viver sob esses princípios, não foram apenas meus relacionamentos que melhoraram, também melhorou minha saúde. A sua também melhorará.

Ao procurar eliminar o estresse e a discórdia de sua vida, lembre que "aquele que está em vocês é maior do que aquele que está no mundo" (1João 4:4).

Resumo e reflexão

O estresse é originalmente um termo de engenharia usado para determinar quanta carga ou pressão uma estrutura metálica pode suportar antes de começar a envergar e por fim desmoronar. A raiva não processada e outras formas de discórdia produzem o mesmo efeito em nosso corpo.

Eis o que a Bíblia diz sobre a raiva em Efésios 4:26: "Quando vocês ficarem irados, não pequem. Apaziguem a sua ira (sua exasperação, sua fúria ou indignação) antes que o sol se ponha." E no livro de Tiago podemos ler: "Meus amados irmãos, tenham isto em mente: Sejam todos prontos para ouvir, tardios para falar e tardios para irar-se" (Tiago 1:19).

1. Usando Efésios 4:26 e Tiago 1:19, escreva uma resposta da Bíblia a nossos sentimentos de raiva.
2. Como o estresse e a discórdia afetaram sua saúde no passado?

3. Que fatores estão produzindo estresse em sua vida neste momento? Considere os sintomas da discórdia listados no Capítulo 1, bem como os fatos de sua vida e seus relacionamentos. Como tudo isso pode estar afetando sua saúde?
4. Você se sente constantemente cansado e esgotado? Deus diz que devemos repousar nosso corpo (veja Êxodo 20:8-11). Aplique esse princípio a sua situação específica. Como essa situação poderia ser alterada?
5. Como meditar sobre as palavras de Deus (Provérbios 4:20-22) e aprender a confiar sua vida a Deus (Provérbios 3:5,6) o mantêm livre da doença induzida pelo estresse?
6. De acordo com Provérbios 17:22, a felicidade e a saúde estão diretamente ligadas. 1Pedro 3:10,11 nos dá a chave para apreciar a vida. Aplique cada uma dessas chaves a sua situação. Como é que elas poderiam reduzir seu nível de estresse?

   Guarde sua língua do mal.

   Afaste-se do mal.

   Faça o bem.

   Busque a paz.

Querido Pai celestial, dá-me a graça de que preciso para viver em um mundo repleto de estresse. Ajuda-me a pronunciar palavras que produzam paz em minha própria mente e corpo e na vida dos outros. Ajuda-me para que o sol nunca se ponha sobre minha raiva e para que eu consiga o repouso de que meu corpo necessita. A ti entrego meus pensamentos, palavras, atitudes e saúde. Amém.

Parte 2

CURANDO OS RELACIONAMENTOS PROBLEMÁTICOS

CAPÍTULO SEIS

Confie em Deus, não em si

Quando Deus disse a Abrão (a quem ele mais tarde daria o nome de Abraão) para tomar os seus e partir para outra terra, Abrão levou Ló, seu sobrinho, e a família de Ló com ele (Gênesis 12:1-4). Quando finalmente se estabeleceram em Betel, tinham tantos animais, tendas e posses que a terra não conseguia prover para ambas as famílias. Não apenas isso, seus servos também estavam em disputa. Então Abrão foi ter com Ló e disse-lhe que eles precisavam se separar para que cada um tivesse terras suficientes para seus rebanhos. Além disso, Abrão humildemente deixou Ló escolher primeiro o terreno.

Eis o que aconteceu então: "Olhou então Ló e viu todo o vale do Jordão, todo ele bem irrigado, até Zoar; era como o jardim do Senhor, como a terra do Egito. Isso se deu antes de o Senhor destruir Sodoma e Gomorra. Ló escolheu todo o vale do Jordão e partiu em direção ao leste. Assim os dois se separaram" (Gênesis 13:10,11).

Esse foi um impasse potencialmente explosivo, uma oportunidade para que a discórdia, que já afetava os pastores, afetasse também as relações entre Abrão e Ló. No entanto, Abrão não deixou que isso acontecesse. Pelo contrário: ele resistiu à discórdia ao humilhar-se, ou seja, negar seu orgulho. No lugar de tentar olhar somente para seus interesses, ele confiou a Deus seu futuro.

A oferta generosa de Abrão espaireceu a volatilidade da situação. Ao fim das contas, como poderia Ló se irritar se Abrão estava sendo tão amoroso e razoável? Logicamente, Ló escolheu o melhor dos terrenos — o vale do Jordão, bem irrigado e fértil. Ele com egoísmo o tomou para si e não pensou em Abrão. Veja o que aconteceu: "Abrão ficou na terra de Canaã, mas Ló mudou seu acampamento para um lugar próximo a Sodoma, entre as cidades do vale. Ora, os homens de Sodoma eram extremamente perversos e pecadores contra o Senhor" (Gênesis 13:12,13).

O egoísmo sempre leva a problemas, e isso foi verdade para Ló. Sodoma era uma cidade tão maligna que Deus decidiu destruí-la, porém avisando a Ló que esperaria até que ele e sua família estivessem seguros, fora da cidade, antes de fazê-lo. Ló, sua mulher e as duas filhas tiveram que fugir rapidamente; não puderam levar quase nada de seu gado e de seus bens. Ou nada, mesmo. Mas a perda de sua fortuna foi apenas o começo dos problemas de Ló. Quando sua esposa desobedeceu a Deus e voltou-se para olhar Sodoma enquanto a cidade era queimada, Deus a transformou em uma coluna de sal. Mas a pior calamidade foi que Ló engravidou ambas as filhas, que em ocasiões separadas encorajaram seu pai a ficar tão bêbado que ele nem tivera consciência do que fazia quando dormiu com elas. Ló egoisticamente tentou proteger seus próprios interesses, e, em consequência, colheu uma safra de devastação e destruição.

Agora vejamos como Abrão se comportou: "Disse o Senhor a Abrão, depois que Ló se separou dele: De onde você está, olhe para o norte, para o sul, para o leste e para o oeste: toda a terra que você está vendo darei a você e à sua descendência para sempre. Tornarei a sua descendência tão numerosa como o pó da terra. Se for possível contar o pó da terra, também se poderá contar a sua descendência.

Percorra esta terra de alto a baixo, de um lado a outro, porque eu a darei a você" (Gênesis 13:14-17).

Abrão resistiu à discórdia e abriu mão de seus "direitos" à terra a fim de manter a paz entre ele e Ló. A semente da obediência desabrochou para Abrão na colheita da promessa de Deus em dar-lhe tudo o que seus olhos pudessem ver.

A história nos ensina duas verdades poderosas:

1. Quando tentamos proteger somente nossos interesses e deixamos Deus fora da solução, falhamos miseravelmente, muitas vezes criando mais problemas e discórdia.
2. Quando confiamos que Deus irá cuidar de nós, ele derramará suas bênçãos sobre nós. Ele mostrará que é fiel.

Vamos examinar cada uma dessas verdades.

Preocupar-se somente consigo mesmo é plantar uma colheita de destruição e discórdia

Se decidimos depositar nossa fé (confiança e segurança) em nós mesmos, vamos aprender logo, logo que a preocupação egoísta não produz resultados sobrenaturais. Por anos eu me exauri mental, emocional e fisicamente, em meus esforços de preocupar-me somente comigo mesma. Por conta do abuso físico e mental que enfrentei quando criança nas mãos dos que deveriam ter cuidado de mim, e de novo em meu primeiro casamento, eu achava que eu era a única pessoa em quem podia confiar. Eu não compreendia que os esforços que empreendi em me preocupar comigo mesma intensificavam os problemas em meus relacionamentos e na vida.

O livro de Tiago mostra claramente como a discórdia chega por meio da preocupação egoísta: "De onde vêm as guerras e contendas [disputas e discórdia] que há entre vocês? Não vêm das paixões que guerreiam dentro de vocês. Vocês cobiçam coisas [que os outros têm], e não as têm; [então] matam [odiar é matar no que se refere aos corações] e invejam, mas não conseguem obter o que desejam. Vocês vivem a lutar e a fazer guerras. Não têm [a gratificação, o contentamento e a felicidade que procuram], porque não pedem" (Tiago 4:1,2).

O que acontece quando tentamos "forçar" os outros a nos tratar direito? Não funciona! De fato, muitas vezes isso torna a situação pior ainda. Foi o que aconteceu tanto com Ló como com uma boa amiga minha, que tentava mudar o marido.

A FÉ EM SI MESMO SEMPRE FALHARÁ.

Os dois pareciam desgraçados, um desastre depois do outro. Minha amiga tinha sempre um sorriso "carismático" congelado no rosto, então, a julgar pela aparência exterior, tudo levava a crer que ela estava bem. De fora, ao contemplar sua vida, seus problemas e dificuldades me pareciam injustos. Eu estava tentada a orar: "Deus, por que não proteges minha amiga? Ela é tão doce e faz tanto pelos outros. Ela paga o dízimo, chega cedo à igreja..."

Por fim, tudo literalmente desabou sobre minha amiga — o telhado de sua casa ruiu! Só então ela finalmente me contou o problema real: ela e o marido, que não era salvo, estavam sempre em discórdia, principalmente por conta de seus esforços em modificá-lo. Ele não era um homem brigão. Na verdade, era bem passivo, e sua falta de interesse nela, na casa, na igreja e na vida em geral era constante fonte de irritação para ela. Ela trazia discórdia em sua alma em relação ao marido, e isso transparecia por meio de sua atitude julgadora e das constantes reclamações e caretas.

Ela confessou que Deus vinha falando sobre isso, mas que ela não dera ouvidos. Ela achava injusto que ele lhe pedisse para fazer a paz no seu lar quando ela sentia que não era a fonte do problema. Ela respondera a Deus que não podia ficar quieta e deixar seu marido se safar com seu comportamento irritante.

Minha amiga estava agindo com preocupações egoístas. Deus poderia ter tomado conta dela, mas ela estava ocupada demais tentando proteger seus próprios interesses. Contou-me que de fato havia confessado a Deus: "Eu sei o que estás dizendo, mas eu não posso fazer isso." No lugar de confiar em Deus e humilhar-se para fazer o que ele lhe dizia, ela escolheu confiar em si mesma — e o desastre se seguiu. Ela não apenas falhou em modificar o marido, como também convidou para destruição a sua vida com sua desobediência.

A fé em si mesmo sempre falhará. Não devemos "ter confiança alguma na carne" (Filipenses 3:3). Nem na nossa carne, nem na de ninguém.

No entanto, quando começamos um relacionamento com Deus, nós nos damos conta de uma verdade assombrosa. Deus *quer* tomar conta de nós. Podemos nos retirar da preocupação egoísta.

A confiança em Deus semeia uma colheita de bênçãos e de paz

Quando nossas circunstâncias parecem fora de controle, ou quando os outros nos ferem ou tiram vantagem de nós, naturalmente queremos alinhar as coisas em nosso favor. Deus quer nos dar esse favor, e devemos confiar nele.

Como eu, muitas pessoas têm dificuldade em confiar em Deus por conta de mágoas do passado. Mas Deus não é como as outras pessoas. Nele podemos confiar! Salmos 23:6 diz: "Sei que a bondade e a fidelidade me acompanharão todos os dias da minha vida,e voltarei à casa do Senhor enquanto eu viver."

Como é reconfortante ter certeza de receber seus cuidados especiais: "Lancem sobre ele toda a sua ansiedade [suas preocupações, suas angústias, de uma vez por todas], porque ele tem cuidado de vocês" (1Pedro 5:7). Esse é um versículo maravilhoso!

Ainda que Deus queira cuidar de nós, suas mãos estão atadas pela nossa descrença e pelas artimanhas da carne. Ele é um cavalheiro e não vai interferir se não for convidado. Ele espera até que tenhamos desistido do trabalho de preocupar-nos conosco e tenhamos depositado nossa confiança nele. A lei da fé, mencionada em 1Pedro 5:7, é esta: *ao parar de tentar cuidar de si mesmo, você deixa que Deus tome conta!*

Descobri que é bem difícil caminhar em obediência a Deus e em amor aos outros se meu interesse primordial é que "Eu" não seja magoada nem que tirem vantagem de "Mim". No entanto, quando deixo Deus ser Deus em minha vida, ele honra três importantes promessas que fez em Salmos 91:15: "Ele clamará a mim, e eu lhe darei resposta, e na adversidade estarei com ele; vou livrá-lo e cobri-lo de honra."

De acordo com esse versículo, quando deixamos Deus tomar conta de nossas preocupações:

1. Ele estará conosco quando tivermos problemas.
2. Ele nos libertará.
3. Ele nos honrará.

A honra é um lugar mais alto. Quando Deus honra um crente, ele ergue ou exalta essa pessoa. Quando nos recusamos a tentar tomar conta de nós mesmos, admitimos que precisamos do auxílio de Deus. É um ato de humildade, e esse ato de fé coloca-nos na linha direta de exaltação de Deus. Pedro escreveu: "Portanto, humilhem-se [baixem-se em sua própria estima] debaixo da poderosa mão de Deus, para que ele os exalte no tempo devido" (1Pedro 5:6).

Quando confiamos em Deus, estamos na fila para uma promoção. Deus nos honrará e nos recompensará quando depositarmos nele nossa fé. Aquele que escrevia para os hebreus afirmou: "Sem fé é impossível agradar a Deus, pois quem dele se aproxima precisa [necessariamente] crer que ele existe e que recompensa aqueles que o buscam" (Hebreus 11:6).

Quando exercitamos nossa fé em Deus, ela libera mais promessas da Palavra do Senhor. Paulo fala de uma "medida da fé" que é dada a cada pessoa (Romanos 12:3). Temos fé como uma dádiva de Deus. Ela cresce e se desenvolve à medida que a empregamos. Precisamos de resultados sobrenaturais em nossa vida. O modo para obtê-los é deixar Deus ser Deus.

Repetidamente a Palavra de Deus nos ensina que ele nos defende, é nosso vingador e nossa recompensa. (Veja Salmos 27:1; 59:9 e Mateus 22:44.) Ele traz justiça e recompensa a nossa vida. (Veja Deuteronômio 32:25; Salmos 89:14.) Ele o fez para Abrão. Deus proporcionou a Abrão tantos descendentes que eles não podiam mais ser contados, dando-lhe mais terras do que possuía anteriormente.

No sistema do mundo, você trabalha duro e então recebe sua recompensa. Na economia de Deus, você confia profundamente nele e então recebe sua recompensa. Não estou sugerindo que você viva em passividade, mas estou apelando com urgência para que evite todas as artimanhas da carne. Viver pela carne leva à discórdia — com nós mesmos, com Deus, e com os outros.

Reflita nos seguintes versículos. Eles o encorajarão a desistir da preocupação egoísta e procurar pelas recompensas de Deus quando você deposita nele suas preocupações.

"Depois dessas coisas o Senhor falou a Abrão em uma visão: 'Não tenha medo, Abrão! Eu sou o seu escudo; grande será a sua recompensa!'" (Gênesis 15:1).

"Os preceitos do Senhor são justos, e dão alegria ao coração. Os mandamentos do Senhor são límpidos, e trazem luz aos olhos. O temor do Senhor é puro, e dura para sempre. As ordenanças do Senhor são verdadeiras, são todas elas justas. Por elas o teu servo é advertido; há grande recompensa em obedecer-lhes" (Salmos 19:8-11, paráfrase da autora).

"Então os homens comentarão: 'De fato os justos têm a sua recompensa; com certeza há um Deus que faz justiça na terra'" (Salmos 58:11).

"Eu certamente o resgatarei; você não morrerá à espada, mas escapará com vida, porque você confia em mim, declara o Senhor" (Jeremias 39:18).

"Mas quando você orar, vá para seu quarto, feche a porta e ore a seu Pai, que está em secreto. Então seu Pai, que vê em secreto, o recompensará" (Mateus 6:6).

No lugar de tentar que alguém o trate direito, ore por essa pessoa e confie que Deus cuidará de você. Mesmo que você ore em silêncio, com o rosto lavado em lágrimas, Deus irá recompensá-lo abertamente.

Quando confiamos em nós mesmos, semeamos discórdia. Quando confiamos em Deus, semeamos paz — paz em nós mesmos, paz com Deus e paz com os outros.

Resumo e reflexão

Salmos 23 diz: "O Senhor é o meu pastor [para alimentar-me, guiar e dar abrigo]; de nada terei falta. Em verdes [tenras e viçosas] pastagens me faz repousar e me conduz a águas tranquilas; restaura-me o vigor [o meu próprio]. Guia-me nas veredas da justiça por amor do seu nome.

Mesmo quando eu andar por um vale [profundo e sem sol] de trevas e morte, não temerei perigo algum, pois tu estás comigo; a tua vara [para me guiar] e o teu cajado me protegem. Preparas um banquete para mim à vista dos meus inimigos. Tu me honras, ungindo a minha cabeça com óleo e fazendo transbordar o meu cálice. Sei que a bondade e a fidelidade me acompanharão todos os dias da minha vida, e voltarei à casa do Senhor [e à sua presença] enquanto eu viver."

Deus assumiu um compromisso conosco de tomar conta de nós.

1. De acordo com Gênesis 13:14-17, Abrão tinha um direito conferido por Deus para usufruir as ricas terras que Ló escolheu. Descreva as possíveis motivações dos corações de Abrão e de Ló.
2. Que princípios você depreende dos atos de Abrão para com Ló que podem ajudar nos seus problemas de relacionamento?
3. Pense no conceito de "preocupação egoísta" por um momento. O que isso significa para você? De que modo você escolheu preocupar-se consigo mesmo no lugar de deixar Deus cuidar de você?
4. Tentar tomar conta de nós mesmos é uma das principais causas dos problemas em nossos relacionamentos. Descreva uma situação em que seus esforços egoístas incitaram a discórdia em um ou mais relacionamentos.
5. Leia os seguintes versículos. Descreva a promessa pessoal de Deus para você contida em cada um deles.

Salmos 27:1
Salmos 59:9
Mateus 22:24
Deuteronômio 32:35
Salmos 89:14

6. No lugar de tentar fazer com que alguém o trate de modo justo, prefira orar por aquela pessoa e deixe as atitudes dela ao encargo de Deus. Escreva um texto com o compromisso de deixar o comportamento dos outros nas mãos de Deus.

Senhor, mostra-me como neutralizar situações potencialmente repletas de discórdia. Abro mão de meus direitos em teu nome. Mostra-me os momentos em que ser um pacificador é mais importante que desfrutar do que é meu por direito.

Libera-me dos grilhões cheios de discórdia que me mantêm batalhando para fazer as coisas acontecerem para mim. Libera-me dos grilhões de sempre sentir que preciso proteger a mim mesmo. Decido confiar em ti para ser um bom pastor que tomará conta de mim, olhará por mim e me protegerá das ofensas das mãos dos outros. Em nome de Jesus, amém.

CAPÍTULO SETE

Seja amigo de si mesmo

VOCÊ NÃO ESTÁ EM PAZ CONSIGO MESMO? A maioria das pessoas está em guerra com elas mesmas. Já que passamos mais tempo conosco do que com qualquer outra pessoa, esse pode ser um grande problema. Afinal de contas, não podemos nos afastar de nós mesmos! Para piorar as coisas, se não nos entendermos conosco, provavelmente não vamos conseguir nos entender com os outros. Se não gostarmos de nossa companhia, não gostaremos da companhia de ninguém.

Isso foi verdade para mim. Sofri por não gostar de mim mesma por muitos anos, mas eu não me dava conta disso. Tampouco entendia que, por alimentar rejeição e ódio por mim mesma, não me dava bem com a maioria das pessoas e, em resposta, a maioria das pessoas não se dava bem comigo. Meus relacionamentos continham um bocado de discórdia porque eu estava em discórdia comigo mesma. As pessoas não gostavam de mim porque eu não gostava de mim.

O modo como nos vemos é o modo como as pessoas nos veem. Esse princípio está ilustrado em Números 12, quando os doze espiões que Moisés havia enviado para investigar a terra prometida voltaram de sua expedição exploratória. Dez dos espiões fizeram um relatório bem negativo: "Vimos também os gigantes, os descendentes de Enaque, *diante de quem parecíamos gafanhotos, a nós e a eles*" (Números 13:33, grifo da autora).

Porque os espiões viam-se como "gafanhotos", também seus inimigo os via como gafanhotos. Nós colhemos o que plantamos (veja Gálatas 6:7). Como podemos esperar que os outros nos aceitem se rejeitamos a nós mesmos? Como podemos esperar a paz com os outros se não estamos em paz conosco?

Por que as pessoas se rejeitam

Seria fácil aceitarmo-nos se não tivéssemos defeitos. Mas os temos. Os principais motivos para as pessoas se rejeitarem são suas fraquezas e erros. Elas não conseguem separar o seu "eu" dos seus atos, carregando consigo culpa e reprovação pelo passado. Focalizam tanto suas falhas que não enxergam seus pontos fortes.

Recentemente, após participar de um de nossos seminários, uma mulher me relatou: "Minha vida estava repleta de tantos conflitos que não havia uma única área isenta do controle da discórdia." Confessou-me então que tudo que ela fazia era motivado pela discórdia. Estava continuamente desapontada consigo mesma e se julgava e se criticava. Nutria desprezo por todos os seus defeitos e fraquezas, e nunca conseguiu perceber seus pontos fortes. Por rejeitar-se, acabava rejeitando as habilidades que Deus lhe havia concedido. Sentia-se terrivelmente mal a respeito de quem era e lutava muito para ser melhor.

COMO PODEMOS ESPERAR QUE OS OUTROS NOS ACEITEM SE REJEITAMOS A NÓS MESMOS?

Contou então que sempre escutava comentários sobre "a paz que supera todo entendimento", mas nunca havia compreendido isso até que me ouviu falar sobre a discórdia. Quando entendeu que Deus não contava os defeitos e fraquezas contra ela, vivenciou paz pela primeira vez na vida.

Como vê, todos temos nossos pontos fortes e nossas fraquezas. O apóstolo Paulo testemunhou: "Mas ele me disse: 'Minha graça é suficiente para você, pois o meu poder se aperfeiçoa na fraqueza'. Portanto, eu me gloriarei ainda mais alegremente em minhas fraquezas, para que o poder de Cristo [o Messias] repouse [sim, que possa armar sua tenda e morar] em mim!" (2Coríntios 12:9).

Saiba quem você é

A Palavra de Deus nos garante nosso tremendo valor por sermos quem somos — os filhos amados de Deus. O que eu faço nem sempre é perfeito. Mas ainda sei quem sou — uma filha de Deus a quem ele ama muito. Meu valor vem do fato de Jesus ter morrido por mim, não de eu fazer tudo perfeitamente (Veja Romanos 3:22,23; 4:5).

Você tem um valor imenso. Você é especial para Deus, e ele tem um bom plano para sua vida (Veja Jeremias 29:11). Você foi adquirido com o sangue de Cristo (Veja Atos 20:28). A Bíblia refere-se ao "precioso sangue de Cristo", indicando que Cristo realmente pagou um alto preço para resgatar você e eu (1Pedro 1:19). Acredite que você é o filho querido de Deus. A verdade trará cura para sua alma e liberdade para sua vida.

Outro passo para tornar-se amigo de si mesmo é aprender a ver suas fraquezas como Jesus as vê.

Veja suas fraquezas como Jesus as vê

A Palavra de Deus contém muitos exemplos de pessoas fracas por meio das quais Deus decidiu realizar grandes feitos para sua glória, incluindo aí os discípulos. Eles eram homens comuns que possuíam fraquezas, tal como você e eu.

Os Evangelhos claramente mostram Pedro como um pescador rude e volúvel que demonstrava impaciência, raiva e ira. Em um momento crucial, ficou com tanto medo de que descobrissem que ele era um discípulo de Jesus que sucumbiu a um ato covarde — negou até mesmo que conhecia Jesus.

André pode parecer ter coração mole e ser gentil demais para um seguidor. Ele evitava o papel de líder, contentando-se em fazer o papel de "segundo violinista" para seu irmão, Simão Pedro, e seus enérgicos e competitivos amigos Tiago e João.

Tiago e João ficaram marcados quando a mãe deles tentou para os filhos uma posição de igualdade ao lado de Jesus quando ele estabelecesse seu Reino. Será que eles eram ambiciosos demais?

Tomé era um homem temeroso em depositar confiança em seu líder. Tudo tinha que ser comprovado para ele antes que ele aceitasse.

E ainda havia Mateus. Os líderes religiosos daquela época ficaram ultrajados por Jesus cogitar envolver-se com esse inferior coletor de impostos. Imagine o horror deles quando Jesus jantou com Mateus em seu lar e o convidou para ser um de seus seguidores e associados íntimos.

Provavelmente o único homem que os líderes religiosos considerariam digno de admiração era Judas. Para os olhos do mundo, Judas tinha qualidades pessoais e nos negócios que denotavam sucesso. Mas seu maior ponto forte acabou sendo sua maior fraqueza — e trouxe destruição para sua vida.

Acho interessante que aqueles que o mundo recomendava, Jesus recusou. E sobre aqueles a quem o mundo rejeitava, Jesus disse, essencialmente: "Tragam-nos para mim. Não me importam seus defeitos. Se eles confiarem em mim, posso fazer coisas grandes e poderosas por meio deles."

Jesus orou a noite toda antes de selecionar os doze homens que se tornaram seus companheiros íntimos por três anos. Tinham múltiplos defeitos, e ele sabia disso quando os convidou para um relacionamento com ele. Ainda assim, com exceção de Judas Iscariotes, eles seguiram o ministério de uma forma dinâmica depois da morte, ressurreição e ascensão de Jesus.

A primeira carta aos coríntios (1:25-29) revela o coração de Jesus com relação a nossas fraquezas: "Porque a loucura de Deus é mais sábia que a sabedoria humana, e a fraqueza de Deus é mais forte que a força do homem. Irmãos, pensem no que vocês eram quando foram chamados. Poucos [entre vocês] eram [considerados] sábios segundo os padrões humanos; poucos eram poderosos; poucos eram de nobre nascimento. Mas Deus escolheu o que para o mundo é loucura para envergonhar os sábios, e escolheu o que para o mundo é fraqueza para envergonhar o que é forte. Ele escolheu o que para o mundo é insignificante, desprezado e o que nada é, para reduzir a nada o que é, a fim de que ninguém se vanglorie diante dele."

Puxa! Esses versículos podem nos dar bastante esperança para o futuro, pois informam que Deus pode usar até a mim! Deus pode usar você! Somos iguais em Cristo, e todo cristão também o é. Suponha que determinado cristão tenha uma medida de dez por cento de fraqueza e noventa por cento de força, e que outro tenha quarenta por cento de fraqueza e sessenta por cento de força. A maioria das pessoas poderia dizer que o segundo crente é mais fraco que o primeiro e, portanto, menos desejável para uma determinada tarefa. Mas Deus não nos enxerga e julga da maneira como fazemos. Ambos são iguais perante Cristo, simplesmente porque ele está disposto a fornecer a medida de força que falta a cada um deles. Assim, em Cristo, estão ambos operando no mesmo nível ou capacidade.

Essa é uma maravilhosa verdade bíblica, que nos libera para ser tudo o que podemos ser — sem temer a rejeição e sem precisar temer nossas fraquezas inerentes. Se você absorver essa verdade, jamais precisará voltar à discórdia consigo mesmo!

Como havia dito, estava em guerra comigo por muitos anos. Não gostava de mim mesma e tentava me modificar continuamente. Quanto mais batalhava para me modificar, mais frustrada ficava, até o dia glorioso em que descobri que Jesus me aceitava do jeito que eu era. Ele, e somente ele, podia levar-me aonde eu precisava estar. Não haveria batalha ou esforço pessoal que pudesse tornar meus defeitos em perfeição, isso seria obtido "'não por força nem por violência, mas pelo meu Espírito', diz o Senhor dos Exércitos" (Zacarias 4:6).

Então não se rotule como inútil somente por alguma fraqueza. Deus dá a cada um de nós a oportunidade de ser um de seus sucessos. Sua força torna-se perfeita por meio de nossas fraquezas. (Veja 2Coríntios 12:9.) Nossas fraquezas dão a ele a oportunidade de mostrar seu poder e sua glória.

Em vez de se desgastar tentando livrar-se das fraquezas, dê-as para Jesus. Afaste seus olhos do que estiver achando errado em você mesmo e olhe para Jesus. Receba fortaleza de sua força ilimitada. Deixe que as forças de Jesus preencham suas fraquezas. Você não tem de agir sozinho. Você tem apenas que saber para onde se voltar.

Saiba para onde se voltar.

Por anos tentei lutar contra meus defeitos e modificar-me, e nunca fiz muito progresso. Naturalmente tendia a ser rude no trato com as outras pessoas — o que não é uma boa coisa em um ministro. Ainda assim eu acreditava que Deus havia me convocado para o ministério em seu nome, e porque ele havia me convocado, havia me enchido do desejo de fazê-lo. Então tentei ser gentil. Eu estava determinada a exercitar todo o autocontrole que pudesse.

Apesar de ter melhorado, ainda havia aqueles momentos terríveis em que meu verdadeiro *eu* emergia. Tenho certeza de que nessas ocasiões as pessoas olhavam para mim e pensavam: "Impossível, Deus não pode ter convocado essa mulher para fazer nada importante para ele!"

Eu queria acreditar em Deus e no que meu coração estava me dizendo, mas ouvi o que pessoas diziam e deixei que suas opiniões me afetassem. Também dei ouvidos ao demônio, que me fazia uma lista diariamente de todas as minhas falhas e defeitos. Ele recordava-me sempre que eu havia tentado e falhado.

Então, após passar anos me perguntando "Como Deus pode me usar? Como é que ele pode confiar em mim? E se eu ofendi alguém?", Deus finalmente mostrou-me que minha vitória constante dependia da minha constante entrega e de aprender com ele: "Permaneçam em mim, e eu permanecerei em vocês [viva em mim e eu viverei em vocês]. Nenhum ramo pode dar fruto por si mesmo, se não permanecer [estando vitalmente unido] na videira. Vocês também não podem dar fruto [abundante], se não permanecerem em mim. Eu sou a videira; vocês são os ramos. Se alguém permanecer em mim e eu nele, esse dará muito fruto; pois sem mim [cortados da união vital comigo] vocês não podem fazer coisa alguma" (João 15:4,5).

Compreender essa verdade me força a confiar nele continuamente. Minha necessidade leva-me a buscar seu rosto. Não posso dar-lhe glória a não ser que eu confie nele. Deus não precisa confiar em mim — eu preciso aprender com ele. Romanos 7:24,25 diz: "Miserável homem que eu sou! Quem me libertará do [restolho desse] corpo sujeito a esta morte? Graças a Deus por Jesus Cristo [o ungido], nosso Senhor! De modo que, com a mente, eu próprio sou escravo da Lei de Deus; mas, com a carne, da lei do pecado."

Pela graça de Deus, eu finalmente pude acreditar que ele me escolheu por uma razão. Eu não fui escolhida por Deus "por falta de melhor escolha" após ele ter tentado com duzentas outras pessoas. Ele me escolheu! Ele deliberadamente escolhe aqueles que o mundo todo pode chamar de fraco e tolo, e ele o faz para confundir os sábios. (Veja 1Coríntios 1:27.)

Além de saber quem você é e de ver suas fraquezas como Jesus as vê, se quiser tornar-se amigo de si mesmo, você não pode:

Julgar a si mesmo ou acreditar no juízo alheio sobre você

Será que você está em discórdia consigo mesmo por conta dos julgamentos e opiniões de outros a seu respeito? Veja o comentário de Paulo em relação à crítica dos outros: "Pouco [para mim, pessoalmente] me importa ser julgado por vocês ou por qualquer tribunal humano; de fato, nem eu julgo a mim mesmo" (1Coríntios 4:3).

Algumas pessoas estavam julgando a fé de Paulo. Ele não tentou se defender, nem ficou com raiva. Simplesmente disse: "Não me importo com o que vocês dizem. Nem eu mesmo me julgo." Muitas vezes no passado abri o livro nessa passagem e mergulhei nela, confiando na palavra de Deus para me afastar do julgamento e da autocrítica.

Não temos que emitir nosso juízo uns sobre os outros e nem sobre nós mesmos. Paulo escreveu para os romanos: "Quem é você para julgar o servo alheio? É para o seu senhor que ele está em pé ou cai. E ficará em pé, pois o Senhor é capaz de o sustentar" (Romanos 14:4).

Ficamos de pé porque Jesus nos segura. Quando as crianças aprendem a caminhar, seus pais estão sempre por perto, segurando seus braços e os ajudando a manter o equilíbrio para que não caiam e se machuquem. Ficamos de pé porque nosso pai nos dá apoio e nos segura! Somos elevados pelo poder dele, não pelo nosso!

> **SOMOS JUSTIFICADOS — NÃO PORQUE NUNCA TENHAMOS COMETIDO UM ERRO, MAS PORQUE JESUS JAMAIS COMETEU UM.**

Se uma vizinha chegasse a minha porta reclamando do jeito que meus filhos cortaram o cabelo, eu diria a ela (educadamente, espero) para cuidar de seus próprios assuntos. Meus filhos não são problema da vizinha. Essa é a mesma atitude protetora que nosso pai celestial tem sobre seus filhos. Nossos defeitos — e os defeitos dos outros — são assunto de Deus, e dele somente.

Viver na verdade de sua retidão

Por que é importante que nos livremos das discórdias interiores? Porque sem isso não poderemos vivenciar relações livres de conflitos. O Reino de Deus é de retidão, paz e júbilo no Espírito Santo (Romanos 14:17). Esse princípio de "reino" contém uma progressão. Se desejamos o júbilo, temos que ter paz, e para ter paz temos que ter retidão — uma retidão real e funcional, não somente uma declaração de retidão.

Deus disse a Abrão que ele o havia feito o pai de muitas nações bem antes que Abrão tivesse um filho para ser seu herdeiro. Deus falou como se tal filho já existisse, e ele fez a mesma coisa a respeito da retidão. Podemos dizer que estamos na retidão de Deus em Cristo porque a palavra diz que temos retidão (2Coríntios 5:21). Quanto mais dissermos essa verdade, mais forte a realidade dela crescerá em nós.

Para progredir rumo à paz real, nossa retidão deve ser estabelecida como uma verdade em nossa alma. Temos que saber que sabemos que sabemos. Nossa retidão deve ser definida em nosso coração para que o "acusador de nossos irmãos" (Apocalipse 12:10) não possa roubá-la de nós com suas mentiras.

Temos de estar tão determinados em nossa retidão pelo sangue de Cristo que, mesmo ao olhar para nossos defeitos, não sejamos derrotados. Abraão, "sem se enfraquecer na fé, reconheceu que o seu corpo já estava sem vitalidade, pois já contava cerca de cem anos de idade, e [reconheceu igualmente] que também o ventre [desfalecido] de Sara já estava sem vigor" (Romanos 4:19).

Você e eu não temos mais que viver na rejeição e no ódio a nós mesmos. *Somos justificados* — não porque nunca tenhamos cometido um erro, mas porque Jesus jamais cometeu um. Ele é o perfeito, e por nossa fé nele, podemos nos considerar justificados também. Deus nos considera assim! Então pare de lutar consigo mesmo e avance para aquela paz abençoada que leva aos relacionamentos sem conflitos.

Resumo e reflexão

A primeira carta aos Coríntios revela o coração de Deus em relação aos que têm fraquezas: "Porque a loucura de Deus é mais sábia que a sabedoria humana, e a fraqueza de Deus é mais forte que a força do homem. Irmãos, pensem no que vocês eram quando foram chamados. Poucos [entre vocês] eram [considerados] sábios segundo os padrões humanos; poucos eram poderosos; poucos eram de nobre nascimento. Mas Deus escolheu o que para o mundo é loucura para envergonhar os sábios, e escolheu o que para o mundo é fraqueza para envergonhar o que é forte. Ele escolheu o que para o mundo é insignificante, desprezado e o que nada é, para reduzir a nada o que é, a fim de que ninguém se vanglorie diante dele."

1. Você está em paz consigo mesmo? Você aceita a si mesmo? Que aspectos pessoais você luta para aceitar?

2. Você concorda que aquilo de que não gostamos nos outros é muitas vezes aquilo de que não gostamos em nós mesmos? Explique sua resposta.
3. Escreva uma descrição de quem você é, com base nas verdades encontradas em Romanos 3:22,23; 4,5; Jeremias 29:11; Atos 20:28; e 1Pedro 1:19.
4. Você já lutou para acreditar que Deus poderia usá-lo mesmo com seu passado e suas fraquezas, ou com o que outros dizem sobre você? Explique sua resposta.
5. De que forma os versículos em 1Coríntios 1:25-29; 2Coríntios 12:9 e 1Coríntios 4:3 aplicam-se a sua situação? De que forma essas escrituras podem transmitir esperança a você?
6. Podemos dizer que somos a retidão de Deus em Cristo porque a palavra diz que somos justificados (2Coríntios 5:21). O que você pode fazer para determinar essa verdade em sua alma? Como você pode começar a viver essa verdade?

Querido Senhor, escolho aceitar-me da maneira que sou. Eu dou graças ao Senhor por fazer-me a pessoa que sou, com todas as minhas imperfeições e defeitos. Sê minha força onde sou fraco, e dá-me a graça necessária para aceitar-me do jeito que tu me aceitas. Dou graças por me amar com amor sobrenatural. Ajuda-me a ver a mim mesmo e a minha vida pelos seus olhos. Amém.

CAPÍTULO OITO

Torne o perdão seu estilo de vida

VIVI TEMPO DEMAIS ESCONDIDA atrás do muro que havia erguido para me proteger da dor emocional, pois estava determinada a não dar a ninguém uma chance para ferir-me pela segunda vez. Se alguém me ofendia, eu guardava o rancor em um canto da memória e levantava um muro para manter aquela pessoa a distância, ou totalmente fora de minha vida.

Eu já não estava sofrendo abuso, mas mantinha o abuso em meu coração. Continuei a causar dor em minha vida porque me recusava a confiar na justiça de Deus. Levei muitos anos para me dar conta de que nunca poderia amar ninguém enquanto eu me mantivesse prisioneira atrás dos muros da falta de perdão. Também tive que aprender que não poderia amar e ser amada até que estivesse disposta a me arriscar a ser ferida. O amor fere às vezes, mas também cura. É a única força que irá sobrepujar o ódio, a raiva e a falta de perdão. É a única força que pode curar relacionamentos despedaçados ou problemáticos.

O mundo está cheio de mágoa e de pessoas magoadas, e a minha experiência diz que pessoas magoadas magoam as outras.

O demônio não descansa entre o povo de Deus para trazer ofensa, discórdia e desarmonia, mas podemos sobrepujar suas tentativas para semear o ódio, a amargura, a raiva e a falta de perdão. Podemos ser rápidos para perdoar.

O perdão fecha as portas para os ataques de Satanás, de modo que ele não consiga a mão para depois ganhar um braço. Atitudes de perdão podem evitar ou acabar com a discórdia em nossos relacionamentos. Não é de se admirar que as Escrituras nos dizem repetidas vezes que devemos perdoar a quem nos tem ofendido. Paulo escreveu: "Suportem-se uns aos outros e perdoem as queixas [um rancor ou reclamação] que tiverem uns contra os outros. Perdoem [livremente] como o Senhor lhes perdoou" (Colossenses 3:13).

Jesus fez do perdão seu modo de vida, instruindo seus discípulos a fazerem o mesmo. Vejamos o que ele tem a dizer sobre o perdão em Mateus 18.

A parábola do servo ingrato

"Por isso, o Reino dos céus é como um rei que desejava acertar contas com seus servos. Quando começou o acerto, foi trazido à sua presença um que lhe devia uma enorme quantidade de prata. Como não tinha condições de pagar, o senhor ordenou que ele, sua mulher, seus filhos e tudo o que ele possuía fossem vendidos para pagar a dívida. O servo prostrou-se diante dele e lhe implorou: 'Tem paciência comigo, e eu te pagarei tudo.' O senhor daquele servo teve compaixão dele, cancelou a dívida e o deixou ir. Mas quando aquele servo saiu, encontrou um de seus conservos, que lhe devia cem denários. Agarrou-o e começou a sufocá-lo, dizendo: 'Pague-me o que me deve!' Então o seu conservo caiu de joelhos e implorou-lhe: 'Tenha paciência comigo, e eu lhe pagarei.' Mas ele não quis. Antes, saiu e mandou lançá-lo na prisão, até que pagasse a dívida" (Mateus 18:23-30).

O servo da história devia tanto ao rei que ele jamais poderia quitar sua dívida. Quando ele pediu ao monarca que perdoasse a dívida, o rei misericordioso assim o fez. No entanto, o mesmo servo que não podia pagar sua dívida, e que havia implorado ao rei por perdão e o havia obtido, não estava disposto a conceder misericórdia a outro servo em uma situação semelhante.

O servo nessa história nos representa, e o rei representa Deus, "pois todos pecaram e estão destituídos da glória de Deus" (Romanos 3:23). Quando pedimos perdão a Deus, por meio do sacrifício de Jesus, todas as nossas dívidas são canceladas. O Senhor perdoa nossos pecados porque ele sabe que nunca poderíamos pagar o que devemos. No entanto, nós nos comportamos muitas vezes como o servo ingrato. Muitas vezes recusamo-nos a perdoar, mesmo que o nosso pai celestial tenha nos perdoado. A parábola segue, contando o que se passou em seguida:

> Quando os outros servos, companheiros dele, viram o que havia acontecido, ficaram muito tristes e foram contar ao seu senhor tudo o que havia acontecido. Então o senhor chamou o servo e disse: 'Servo mau, cancelei toda a sua dívida porque você me implorou. Você não devia ter tido misericórdia do seu conservo como eu tive de você?' Irado, seu senhor entregou-o aos torturadores, até que pagasse tudo o que devia. Assim também lhes fará meu Pai celestial, se cada um de vocês não perdoar de coração a seu irmão.

Quando você e eu nos recusamos a perdoar os outros, abrimos a porta para que o demônio nos atormente. Perdemos nossa liberdade — a gloriosa liberdade que Deus nos propôs ao trilhar seu caminho. Deus é amor. Ele também é misericordioso, gentil, cheio de perdão e tardio para irar-se. Muitas vezes desejamos seu poder e suas bênçãos sem querer o estilo de vida que acompanha tudo isso. O perdão tem que ser um estilo de vida. Assim que alguém nos magoa, devemos responder com o perdão.

De fato, Jesus deixa claro que não devemos colocar limite algum a nosso perdão. Logo antes de contar a parábola do servo ingrato, Pedro propôs-lhe uma interessante questão sobre quantas vezes devemos oferecer perdão.

Quantas vezes devemos perdoar alguém

"Então Pedro aproximou-se de Jesus e perguntou: 'Senhor, quantas vezes deverei perdoar a meu irmão quando ele pecar contra mim? Até sete vezes?' Jesus respondeu: 'Eu lhe digo: Não até sete, mas até setenta vezes sete'" (Mateus 18:21,22).

Acredito que Pedro fez essa pergunta porque estava lidando com alguém em sua vida que lhe causava males regularmente. Esse indivíduo talvez fizesse algo para provocar Pedro, talvez não, talvez um dos outros discípulos fosse simplesmente um permanente espinho em sua carne.

Pedro achava que deveria perdoar uma pessoa por até sete vezes, mas Jesus disse-lhe para perdoar por até setenta vezes sete. Jesus dizia a Pedro para perdoar não importa o número de vezes necessário para manter a paz.

Devemos perdoar a quem nos pede perdão, mesmo quando não estamos cientes de que agiram errado conosco, porque nossa misericórdia os liberta para ter paz. Por exemplo, algumas vezes as pessoas me pedem para perdoá-las por não gostarem de mim ou por falarem de modo descortês sobre mim. Eu sequer estava ciente do problema. Não estava

QUANDO VOCÊ E EU NOS RECUSAMOS A PERDOAR OS OUTROS, ABRIMOS A PORTA PARA O DEMÔNIO NOS ATORMENTAR.

me magoando — estava magoando a elas. Eu, com alegria, as perdoei, porque queria que elas fossem livres.

Também devemos perdoar aos que não pedem nosso perdão, ou porque não tinham a intenção de nos machucar e não sabem que o fizeram, ou porque não se arrependeram. De qualquer modo, o perdão nos libera de acumular amargura e raiva em nosso coração, tornando-nos livres.

Se você acha que fez mal a alguém, faça um esforço e simplesmente diga: "Se eu magoei você, quero me desculpar." Então, se você descobrir que de fato esse alguém ficou chateado, simplesmente peça que o perdoe. A força das palavras "me perdoe, por favor" é incrível. Se o indivíduo se recusar a perdoá-lo, ao menos você terá feito sua parte e poderá seguir sua vida em paz.

O perdão não apenas pode curar nossos relacionamentos turbulentos, como pode também liberar-nos para desfrutar da completude de nosso relacionamento com Deus. Como vê, o perdão como estilo de vida envolve mais do que recusar-se a abrigar raiva e ressentimento — envolve também perdoar a Deus quando ele não age como esperamos.

Muitos cristãos nutrem, sem saber, raiva de Deus. Você é um deles?

Você tem raiva de Deus?

Fiquei chocada quando o Senhor me chamou para ministrar nessas situações. Não acreditava que tantos cristãos estivessem com raiva de Deus, mas estava errada. Uma rusga oculta com Deus é a semente de muitos problemas emocionais. É a causa de mágoa e de uma atitude amargurada em relação à vida que abre a porta para todos os tipos de misérias e tormentas.

Fomos criados para receber o amor de Deus, para desfrutar dele, regozijar nele. Devemos retornar esse amor a Deus, desabridamente, bem como a todo o mundo que nos cerca. Deus nos projetou para um relacionamento com ele — para uma amizade cálida, tenra e aberta. Sempre que isso estiver em falta ou for impedido, iremos sofrer.

A pior coisa que podemos fazer quando nos deparamos com desapontamento e tragédias é culpar Deus. Deus quer nos ajudar! Ele não é o causador de problemas — o demônio é que é! O mundo, a carne e o demônio nos trazem problemas — não Deus!

Isso não quer dizer que Deus nunca nos levará para um caminho que preferiríamos não trilhar — ele certamente nos levará. Os israelitas teriam preferido um caminho mais curto para a Terra Prometida, mas Deus tinha um propósito em suas decisões. Êxodo 13:17,18 diz: "Quando o faraó deixou sair o povo, Deus não o guiou pela rota da terra dos filisteus, embora este fosse o caminho mais curto, pois disse: 'Se eles se defrontarem com a guerra, talvez se arrependam e voltem para o Egito.' Assim, Deus fez o povo dar a volta pelo deserto, seguindo o caminho que leva ao mar Vermelho. Os israelitas saíram do Egito preparados para lutar."

Deus sabe o que é melhor para nós. Há ocasiões em que sentimos, pensamos ou desejamos um certo caminho. Somos tentados a nos enraivecer com ele quando nos leva a um caminho diferente. Quando ficamos desapontados com a vida, com as pessoas ou com as circunstâncias, isso pode gerar um desapontamento com Deus. Isso é exatamente o que o demônio quer! Se você estiver com raiva de Deus, nutrindo amargura ou ressentimento contra ele, saiba que ele está lhe dando a oportunidade de, ao ler este livro, liberar-se da armadilha que Satanás armou para você. Deus é nosso ajudador — não nosso inimigo.

Da raiva à confiança

Talvez você esteja se perguntando: "E quanto a todas as coisas ruins que acontecem em nossa vida?" Muitos se questionam sobre isso porque, em nossa mente finita, não podemos compreender por que Deus permite males como abuso, drogas, álcool, guerra, desastres naturais e outros que nos provocam uma dor quase insuportável. Sabemos que Deus pode fazer o que quiser. Não entendemos por que ele não evita aquilo que nos machuca.

Muitas pessoas que sofreram abuso ficam com raiva de Deus. Não conseguem entender por que Deus não as ajudou. Acham que não podem confiar nele. Eu entendo que isso possa acontecer. Mesmo que eu tenha me livrado da tortura de ficar com raiva de Deus pelo abuso que sofri, ainda estava cheia de questionamentos. Por que um Deus amoroso ficaria de braços cruzados olhando uma criança sofrer de modo tão terrível? Por que ele não fazia a dor parar?

Ainda que Deus não tenha respondido a todas as minhas questões, eu encontro conforto com esta história:

Um homem cujo filho morrera de câncer perguntou a Deus com amargura: "Onde você estava quando meu filho morreu?"

O Senhor respondeu: "No mesmo lugar de quando o meu morreu."

Deus não deu uma explicação longa, mas sua resposta fez com que o homem fechasse a boca humildemente. Sinto o mesmo. Quem sou eu para criticar Deus? Um dia minhas perguntas serão respondidas. Por agora, tenho paz de mente e coração porque deposito minha confiança em um Deus amoroso.

O pecado e a maldade estão no mundo. A batalha imemorial entre as forças do bem e do mal ainda estão agindo, e eu suspeito de que agirão até o fim dos tempos. Mesmo quando, às vezes, parece que o mal venceu o bem, a vitória definitiva pertence àqueles que depositarão sua confiança em Deus.

Há muitos exemplos na Palavra de Deus de homens e mulheres que não compreenderam o que estava se passando com eles. Passaram por períodos de questionamento, dúvidas, culparam e criticaram Deus. Mas se deram conta de que estavam agindo tolamente. Eles se arrependeram e voltaram a confiar em Deus, em vez de ficar com raiva dele.

Um dos salmistas é uma dessas pessoas. Eis minha paráfrase de seu progresso da raiva à confiança do Salmos 73: "Deus, está claro que os maldosos prosperam e se dão melhor do que eu. Tenho tentando levar uma vida honesta, mas isso parece não surtir nenhum efeito. Parece que é tudo em vão. Só o que ganho são problemas, e quando eu tento entender, a dor é demais para mim. No entanto, passei tempo com o Senhor e posso entender que no fim o maldoso encontrará a ruína e a destruição."

"Meu coração estava enlutado, eu estava amargo e em descontentamento. Fui estúpido, Deus, ignorante, comportando-me como um animal. Agora vejo que tu estavas constantemente comigo, segurando minha mão direita. Quem eu tenho nos céus a não ser o Senhor? Irás me ajudar, Senhor? Se não o fizeres, não há ninguém na terra que possa me ajudar. Tu és minha fortaleza e minha proteção eterna. É bom para mim confiar em ti, ó Senhor, e fazer de ti meu refúgio."

Se você está empacado em amargura contra Deus, eu o encorajo a passar pelo processo do perdão. A raiva contra ele bloqueia nossos caminhos e impede que sigamos em frente. É uma "barreira espiritual" — talvez mais forte que qualquer outra. Por quê? Simplesmente porque a raiva fecha a porta para o único que pode ajudar, curar, reconfortar ou restaurar nossas emoções, nossos relacionamentos e nossa vida.

Ainda que Deus não precise de nosso perdão, precisamos perdoá-lo para que possamos nos liberar da amargura e do ressentimento. Se estivemos abrigando em nosso coração um rancor contra

Deus, devemos perdoá-lo. Só então poderemos vivenciar o poder de Deus e sua bênção em nossa vida e relacionamentos.

O perdão está entre a derrota e a vitória

O perdão restaura a paz, mas se falhamos em perdoar Deus quando precisamos fazê-lo, permaneceremos em discórdia. Vi essa verdade exemplificada nas reações de duas famílias que conheço diante da perda de um ente querido. As histórias são semelhantes, mas os finais são bem diferentes.

No primeiro caso, uma mulher perdeu seu marido, que morreu de câncer. Durante o tempo em que sofreu com a enfermidade, ele renasceu, foi cheio do Espírito de Deus e se comprometeu por completo com o evangelho, esforçando-se para compartilhar seu testemunho com o maior número possível de pessoas. Recebeu profecias de que iria viver, e não morrer, e toda a família esperou que Deus o curasse para que ele pudesse viver sua vida em testemunho do poder curativo de Deus. A família permaneceu na fé e propagou a Palavra. Fizeram tudo o que seus líderes espirituais e os médicos lhes diziam para fazer. Ainda assim o homem faleceu.

Mesmo que a mulher tenha experimentado confusão, raiva e desapontamento, ela pôde depositar sua confiança em Deus e superar tudo vitoriosa. No sétimo aniversário da morte dele, recebi dela uma carta, agradecendo a Dave e a mim por estarmos do lado dela ao longo de todos esses anos. Contou o tanto que ama o Senhor hoje em dia. Ele é a vida dela. Ela tem prazer em servi-lo de toda maneira que puder. Ela ainda sente falta do marido, mas está em paz e caminha vitoriosa.

Seus filhos, no entanto, não encararam tão bem. Mantiveram um pouco da amargura que sentiram quando seu pai falecera. A confusão em seus espíritos afetou seu progresso espiritual. Não deram as costas a Deus totalmente, mas caíram e nunca se recuperaram.

A segunda história envolve outro casal que serviu a Deus por muitos anos e que teve muitos filhos. Um dos filhos morreu subitamente, e o homem tornou-se amargo em relação a Deus. Com certeza seus pensamentos eram mais ou menos assim: "Deus, eu te servi com fé ao longo de todos esses anos e não compreendo esse acontecimento. Por que não recebemos tua proteção? Esse foi um grande desapontamento. Não merecemos isso, Deus."

Esse tipo de pensamento foi crescendo até que o homem tornou-se tão amargurado e raivoso que sua vida foi afetada como que por um câncer. No fim, ele divorciou-se e seguiu uma vida de pecado — sem querer mais saber de Deus.

A infelicidade pode sobrevir-lhe também. Você não tem o controle sobre todas as circunstâncias e todos os males que vêm no seu caminho, mas pode controlar suas reações.

Escolha o perdão — escolha a vida

A palavra de Deus diz: "Coloquei diante de vocês a [escolha entre a] vida e a morte... Agora escolham a vida" (Deuteronômio 30:19). Quando nos deparamos com circunstâncias que trazem morte para nossa vida — fisicamente, espiritualmente ou emocionalmente —, a única solução sensata é escolher a vida. Se não escolhemos a vida, a morte continua a se espalhar até que roube paz, alegria, fé, saúde e relacionamentos pessoais.

A cada vez em que somos magoados, ofendidos, decepcionados ou mesmo devastados — e há muitas dessas ocasiões em nossa vida —, devemos escolher como responder. Vamos nos agarrar à raiva e ao ressentimento — e escolher a morte — ou vamos resistir à raiva e oferecer o perdão — escolhendo a vida —?

Se você não conseguiu perdoar a pessoa que o magoou seriamente, talvez tenha permitido que o inimigo o ludibriasse para acreditar que você não pode perdoar. Faça essa afirmação diariamente: "Eu posso e vou perdoar a ___________ por ter me magoado. Posso fazê-lo porque o Espírito de Deus está em mim e me dá a capacidade de perdoar."

Por ter sido abusada sexualmente por meu pai durante muitos anos, passei muito tempo alimentando amargura e ressentimento contra ele. Meu relacionamento com ele era turbulento, para dizer o mínimo. Mas eu gradualmente fui me dando conta de que tinha que fazer a escolha de perdoá-lo, mesmo sabendo que seria difícil.

Com a ajuda de Deus, fui capaz de perdoar meu pai e, com o tempo, ele foi capaz de receber meu perdão, assim como o de Deus. Antes que ele morresse, fui capaz de conduzi-lo a aceitar Jesus como seu salvador, e tive o privilégio de batizá-lo nas águas.

Mesmo que Satanás tenha roubado o que deveria ter sido um relacionamento normal e amoroso entre um pai e sua filha, Deus trouxe restauração e cura quando escolhi o perdão.

FAÇA DO PERDÃO UM ESTILO DE VIDA, ESCOLHENDO CONFIAR EM DEUS SOBRE COISAS QUE VOCÊ NÃO COMPREENDE.

A igreja está repleta de cristãos que não creem. Nós nos chamamos de "crentes", mas não acreditamos que somos capazes de agir de acordo com o que pensamos ser certo. Assuma uma abordagem mais positiva e seja mais agressivo contra males e injúrias. Seja rápido em perdoar. Seja generoso no perdão. Lembre-se do quanto Jesus o perdoa a cada dia. Faça do perdão um estilo de vida, escolhendo confiar em Deus sobre coisas que você não compreende. Escolha a vida.

Resumo e reflexão

O perdão é o extintor de incêndio que abafa as chamas da discórdia — que poderiam, se não fosse assim, consumir nossa vida e destruir nossos relacionamentos. Aprender a perdoar rapidamente é a chave para combater a discórdia. Paulo escreveu: "Suportem-se uns aos outros e perdoem as queixas [rusgas ou reclamações] que tiverem uns contra os outros. Perdoem como o Senhor [livremente] lhes perdoou" (Colossenses 3:13).

1. Com base no que você leu neste capítulo, por que o perdão é importante? De que modo nos beneficia darmos perdão rapidamente?
2. Há pessoas em sua vida a quem você precisa perdoar? Quem são e quais foram suas injúrias contra você? Tenha em mente que, se basta pensar nessa pessoa para fazer seu sangue ferver, esse é um bom sinal de que você está abrigando a falta de perdão em relação a ela.
3. Como perdoar essas pessoas alteraria sua vida e seus relacionamentos?
4. Mesmo que neguemos, muitos de nós estamos raivosos com Deus. Fomos criados para receber o amor de Deus e para retribuir com nosso amor por ele. Mas a raiz de muitos de nossos problemas emocionais vem da raiva oculta ou reprimida de Deus. Essa raiva também é a causa da atitude amargurada em relação à vida. Ore e peça ao Espírito Santo que mostre a você qualquer raiva ou mágoa oculta contra Deus que você tenha enterrada bem fundo em sua alma. Escreva aqui o que o Espírito Santo lhe revela sobre seus sentimentos para com Deus.

5. A cada vez que somos magoados, ofendidos, decepcionados ou mesmo devastados — e há muitas dessas ocasiões em nossa vida —, devemos escolher como reagir. Escreva sobre uma ocasião em que você escolheu agarrar-se à raiva e ao ressentimento. De que maneiras isso significou escolher a "morte"? Agora escreva sobre uma ocasião em que você escolheu o perdão. De que maneira isso foi uma escolha pela "vida"?
6. Você pode entregar a Deus sua mágoa, sua raiva, seu desapontamento e a impressão de ter sido traído, tanto com relação aos outros como com relação ao próprio Deus? Você escolherá confiar nele por sua justiça? Escreva uma oração entregando seus sentimentos e esses relacionamentos a Deus e expressando seu compromisso em fazer do perdão um estilo de vida.

Senhor amado, em ti confio para a justiça em minha vida. Escolho agora mesmo abandonar a necessidade de obter a justiça por meus modos. Perdoo a todos os que me causaram males, incluindo [diga aqui o nome dessas pessoas]. Eu libero agora mesmo essas pessoas, em nome de Jesus. Submeto minha vida a ti hoje, para sempre. Não compreendo todas as circunstâncias da minha vida, e talvez nunca compreenda enquanto estiver neste mundo. Senhor, mesmo que seja difícil confiar em ti às vezes, mesmo que eu não entenda totalmente, submeto a ti minha vida. Dou graças a ti por amar-me e suster-me até o dia em que eu me conhecerei plenamente, da mesma forma como sou plenamente conhecido — como está dito em 1Coríntios 13:12.

CAPÍTULO NOVE

Discorde em concórdia e enfatize o positivo

NÃO É FÁCIL APRENDER A EVITAR conflitos e a nutrir relacionamentos harmoniosos. Afinal, algumas pessoas são bem difíceis de se conviver. No entanto, é vital cultivar relacionamentos pacíficos com todas as pessoas em nossa vida. Deus não sugeriu que evitássemos o conflito — ele o ordenou: "Ao servo do Senhor não convém brigar, mas, sim, ser amável [preservando o vínculo da paz] para com todos, apto para ensinar, paciente" (2Timóteo 2:24).

Tudo o que Deus nos instruiu a fazer visa ao nosso bem. Quando penso nisso, sinto-me encorajada a seguir em obediência nos relacionamentos difíceis.

Uma das razões para os problemas de relacionamento é que nem sempre estamos determinados a resistir à discórdia. Resistimos algumas vezes, mas não nos dispomos a resistir o tempo todo. Ou pensamos que a única maneira de suportar o outro é transformar-se em capacho, e então nunca emitimos nossas opiniões ou expressamos nossos sentimentos nos conflitos. Assim, não raro nos tornamos pessoas amargas e ressentidas.

Vou ser repetitiva para ter certeza de que expus meu argumento claramente. *Ficar longe da discórdia é um processo contínuo nos relacionamentos cotidianos.* Devemos confrontar a discórdia, trazê-la à tona e conversar sobre ela, buscando algum acordo de paz.

Ainda que certamente não seja fácil viver em paz com os outros, sei por experiência própria que isso é possível. Neste capítulo, vou compartilhar com você os seguintes princípios para resistir à discórdia e desfrutar de relacionamentos pacíficos.

- Aprenda a discordar em concórdia.
- Enfatize o positivo.
- Aceite cada um tal como é.

Vamos dar uma olhada em cada um desses princípios.

Aprenda a discordar em concórdia

A falta de comunicação é a causa número um de muitos relacionamentos turbulentos, incluindo o divórcio e mesmo o adultério. Muitas vezes as pessoas tentam conversar sobre um assunto, mas acabam discutindo porque discordam em algum ponto e não sabem como debater adequadamente. Depois de certo tempo, param de tentar se comunicar, e grandes problemas surgem em seus relacionamentos.

Muitos dos desafios no meu casamento com Dave têm a ver com nossa incapacidade de comunicação à maneira de Deus. Temos personalidades muito diferentes, e muitas vezes vemos as coisas de ângulos totalmente diversos. Sou uma pessoa forte, verbal. Ao longo dos anos, minha boca me causou muitos problemas porque eu sempre tinha que estar no comando para que ninguém pudesse tirar vantagem de mim ou me empurrar de um lado para o outro como meu pai fazia comigo.

Quando nos casamos pela primeira vez, Dave era mais passivo que eu e menos inclinado a me confrontar. Então, após ter me dado alguns anos para crescer em Deus e superar parcialmente meu passado, o Espírito Santo levou Dave a confrontar-me cada vez mais, em vez de deixar-me fazer as coisas do jeito que eu queria. Eu ficava com tanta raiva que tinha vontade de sair e deixar tudo para trás. Mas no fundo eu sabia o que Deus estava tentando fazer. Parte de mim sinceramente queria que ele o fizesse, mas outra parte (a carne) queria gritar e fugir.

Quando o Senhor começou a ensinar-me a viver em concórdia, eu não conseguia compreender como poderia concordar apesar das divergências. Simplesmente manter a boca fechada não me parecia ser uma opção. O demônio me disse várias e várias vezes: "Se você fizer isso, vai virar um capacho e todo mundo vai pisar em cima de você."

Quando estudei pela primeira vez os versículos que falam sobre submissão e sobre como a esposa deve adaptar-se a seu marido, foi quase demais para eu aceitar. Então, quando eu finalmente evoluí até o ponto em minha caminhada com Deus no qual eu queria ser submissa a Dave, minha resposta inicial foi ir para o extremo oposto. Se anteriormente eu tinha alguma coisa a dizer sobre tudo, comecei a sentir que não podia dizer nada. Se Dave discordasse de mim sobre alguma coisa, eu sentia que a "submissão" significava que eu não poderia verbalizar mais nenhuma opinião. Se não fosse assim, eu estaria me rebelando contra meu marido.

Isso pode não parecer um grande problema se você por acaso se casou com alguém com quem você concorda a maior parte do tempo, mas esse não era o caso comigo e com Dave. Ainda que eu me mantivesse em silêncio no exterior, dentro de mim eu queria me rasgar. Estava quieta, mas estava com raiva. Conseguia ficar em silêncio por algum tempo e então explodia.

Dave continuou a pressionar e a me confrontar e, quando sentamos para conversar sobre nossos problemas, nos demos conta de que uma boa parte de nossos conflitos se devia a problemas de comunicação. Dei-me conta de que *a comunicação acontece quando todas as partes podem expressar seus corações da maneira de Deus, mesmo quando discordam.*

Ambos tínhamos coisas a aprender sobre como comunicar-se adequadamente um com o outro. Dave ficou anos sem me confrontar e, quando começou, veio com demasiada força. Eu não estava acostumada a ser confrontada e, naturalmente, exagerava na reação e ficava chateada a cada vez em que ele tentava compartilhar alguma coisa comigo. Também tive que aprender a tentar parar de manipulá-lo. Se ele discordava de mim em algum assunto, eu tentaria fazê-lo ver as coisas do meu ponto de vista. Dave percebia minha tentativa de manipulação e exclamava: "Pare de tentar me convencer, Joyce. Se estou errado, deixe que Deus me convencerá disso. Se você está errada, deixarei Deus convencê-la disso."

Precisávamos de equilíbrio, e precisávamos aprender a discordar em concórdia. Eis o que aprendemos sobre como discordar em concórdia:

- *Demonstre respeito um pelo outro*. Demonstrar respeito em nossa atitude, nosso tom de voz, nas expressões faciais e na linguagem corporal tem sido a chave para aprendermos a discordar em concórdia. Se eu suspiro em alto som quando Dave tenta compartilhar alguma coisa comigo, é óbvio para ele que considero o que ele está dizendo de pouco valor. O suspiro comunica isso: "Eu já me decidi e não estou interessado em ouvir o que você tem a dizer."

A maioria das pessoas não se importa se você tem uma opinião diferente da delas, desde que você não as faça sentir como se suas opiniões fossem ridículas e sem valor. Há uma maneira sábia de tratar as pessoas e uma maneira nem um pouco sábia.

- *Deixe estar por um tempo.* Se continuarmos discordando depois de ter deixado cada um falar o que achava ou sentia, paramos de conversar e esperamos para ver o que Deus fará.
- *Seja paciente.* Você pode notar que eu fico repetindo "eu aprendi", "nós aprendemos", "estou aprendendo" ou "estamos aprendendo". Ser um pacificador é uma decisão, e depois é um processo de aprendizagem. Não se sinta desencorajado se você escolhe se abster do conflito e da discórdia e então, uma vez ou outra, volta ao seu antigo jeito. Basta estar determinado a aprender. O Espírito Santo é seu professor particular. Cada relacionamento é de um jeito, e o Espírito Santo irá guiá-lo por sua situação particular se você confiar nele. Levantei muitos muros que eu nem sabia que existiam. Muitas das minhas reações estavam baseadas na minha antiga situação. Dave não tinha nada a ver com as mágoas do meu passado, mas minha percepção estava afetada pelos anos de abuso e controle. Ainda tinha muitas questões que precisava resolver para desfrutar da liberdade plena. Obviamente, não podia resolver todas de uma vez só. O Espírito Santo conduz nosso aprendizado como acha melhor, pois enxerga mais que nós. Vamos chegar à linha final vitoriosos se nos mantivermos no programa.
- *Procure uma resposta que possa satisfazer a ambas as partes.* Deixe-me dar um exemplo específico. Quando Dave

e eu compramos os móveis para nossa casa, geralmente gostamos de coisas diferentes. Alguns homens não estão nem um pouco interessados em ajudar a decorar a casa, mas Dave tem opiniões bem definidas sobre o que aprecia. Eu também tenho. Mas nossos gostos na decoração são bem diferentes. Quando tentamos sair para comprar os móveis, passamos vinte minutos na primeira loja em que entramos só discutindo. Quando voltamos para casa, eu estava exausta. Finalmente, me dei conta de que minha opinião não estava mais certa que a de meu marido. Portanto, decidimos continuar visitando as lojas até encontrar algo de que ambos gostassem. Em muitas ocasiões um ou outro teve que abrir mão de coisas de que gostavam para que pudéssemos encontrar coisas de que ambos gostassem. Algumas vezes desistíamos, voltávamos para casa e continuávamos em outro dia.

- *Ceda regularmente.* Caminhar no amor significa abrir mão do direito de estar certo. Dave e eu cedemos regularmente — de uma forma equilibrada. Em outras palavras, eu não faço as coisas do meu jeito o tempo todo, e tampouco Dave. Ambos estamos dispostos a cumprir o que o Espírito Santo determinar sobre de quem é a vez de ceder. Isso não é fácil porque, como todo mundo, Dave e eu nascemos com uma boa porção de egoísmo. Nós naturalmente procuramos o que é melhor para nós mesmos, não o que é melhor para o outro. Ceder requer humildade. Fazê-lo com uma boa atitude é sinal de maturidade. Se eu ceder e Dave fizer do jeito que ele quer, mas eu passar o resto do dia sentindo pena de mim mesma, que vantagem obtive? Nenhuma!Houve ocasião em que Deus me conduziu a pedir perdão a Dave quando houve atrito entre nós, mas eu me recusei porque a última a pedir perdão tinha sido eu. Estava disposta a fazer minha parte, mas não queria abrir mão do que achava justo. Queria ter certeza de que ninguém tiraria vantagem de mim, e, assim, mantinha uma lista mental de quantas vezes eu ou ele "ganhávamos". Tive que aprender a não manter um registro literal de quem havia cedido por último. Se duas pessoas estão dispostas a se revezar em ceder entre elas, isso beneficiará o relacionamento.

Você vai ter que aprender seus próprios modos de discordar em concórdia, porque cada situação é de um jeito. Cada pessoa é de um jeito diferente. Se você é cristão e está num relacionamento com um descrente, Deus pode demandar que você ceda mais com maior frequência simplesmente porque você abriga o suficiente da Palavra de Deus em seu coração para permitir que seja assim. As pessoas que não têm conhecimento da Palavra de Deus são levadas por sentimentos e pensamentos. As pessoas firmadas na Palavra de Deus sabem que os sentimentos e pensamentos levarão ao desastre.

Outro modo de desfrutar de relacionamentos harmoniosos é aprender a focalizar os pontos fortes da pessoa e não suas fraquezas. De fato, se mais casais aprendessem a fazer isso, haveria muito menos divórcios.

Enfatize o positivo

Amo profundamente meu marido, mas por anos eu mantive uma lista mental de todos os defeitos que ele demonstrava. Eu era uma pessoa muito negativa, e procurava falhas e traços negativos nas pessoas.

Sentia-me tão mal a respeito de mim mesma que tentei encontrar muitas coisas ruins nos outros apenas para me sentir melhor.

Um dos defeitos que encontrei em Dave é que ele jogava golfe todos os domingos. Eu o achava tremendamente egoísta por não ver como era duro para mim ficar em casa a semana toda com as crianças, sem a oportunidade de ir a lugar algum. Só tínhamos um carro, que ele tinha que usar para ir ao trabalho.

Sentia-me limitada ao raio de três quarteirões que eu conseguia percorrer caminhando. No entanto, nesses três quarteirões havia padarias, mercearia, um salão de beleza e uma dessas lojas de dez centavos (como se chamavam à época). Eu não era espiritualmente inteligente o bastante para me dar conta de que Deus havia me abençoado com a conveniência de ter todos esses lugares ao alcance dos meus pés.

Nunca levei em consideração que Dave trabalhava toda a semana, que sempre amara os esportes, e que jogar golfe aos domingos era muito, muito importante para ele. Tentei fazer com que desistisse. Ficava com raiva quase todos os sábados, o que só fazia com que ele tivesse mais vontade de jogar. Quis colocá-lo sob a "lei", e isso o fez ter vontade de ficar longe mais tempo ainda. Os padrões da lei só aumentam nossos problemas, não podem solucioná-los.

Também reclamei que Dave não conversava comigo o suficiente, que ele fazia palhaçadas demais e que não levava as coisas a sério, e que não era proativo o suficiente. A lista que eu mantinha de suas falhas crescia e crescia.

Em resumo, eu caçava tudo o que fosse negativo e ignorava suas características positivas. Estava tão ocupada meditando sobre suas falhas e tentando corrigi-las que eu simplesmente não me dava conta da bênção que tinha em minha vida.

Quando Deus finalmente me ensinou — após muitos anos de sofrimento — a enfatizar o que há de bom na vida e nas pessoas, foi incrível a quantidade de ótimas qualidades que encontrei em meu marido! Obviamente essas qualidades já existiam, e eu poderia ter desfrutado delas todo esse tempo.

Descobri que Dave era flexível e que se adaptava fácil. Ele é muito fácil de se conviver. Ele não exige muito. Está disposto a comer qualquer coisa, não importa se lhe dou um sanduíche frio ou uma refeição quente. Ele deixa que eu compre qualquer coisa que possamos pagar. Posso levar pessoas para casa a qualquer hora, que ele não se importa. Se eu quiser sair para jantar, tudo bem, eu posso escolher o restaurante.

Dave também cuida bem de si, fisicamente. Ele tem a mesma aparência de quando nos casamos, só que mais velho. A lista de seus pontos fortes é bem longa — mais longa que a lista que eu mantinha de seus defeitos.

Você está enfatizando os defeitos de alguém quando poderia estar amplificando os pontos positivos? Seja positivo com relação à pessoa com quem você se relaciona. Se semearmos misericórdia, colheremos misericórdia (Mateus 5:7). Você quer a misericórdia aplicada a suas fraquezas e defeitos? Se quer, seja abundante na misericórdia.

Todos temos nossos defeitos, e, se enfatizados, esses defeitos tornam-se maiores do que realmente são. Mas quando priorizamos as coisas boas nas pessoas, suas qualidades tornam-se maiores do que aquilo que nos irrita nelas.

Hoje, se alguém viesse me perguntar quais são as falhas de meu marido, eu teria que pensar muito para encontrar algum defeito. Ninguém é perfeito, e Dave tem suas falhas, mas, como eu já não presto muita atenção a elas, é difícil lembrar.

Faço um esforço não só para pensar nos pontos fortes de Dave, como também para elogiá-lo. Quando verbalmente amplificamos os pontos fortes das pessoas, as edificamos e encorajamos. Estamos ajudando-as a ser o melhor que puderem. Extraímos o melhor que elas têm ao amplificar suas boas partes.

Paulo fazia isso regularmente quando escreveu para as várias igrejas. Mesmo quando as repreendia, sempre comentava sobre o que estavam fazendo bem. Ele conhecia a arte de repreender as pessoas sem as ofender. Ele esperava o melhor delas, e desse modo as inspirava a viver desse modo.

Temos um exemplo disso em seu encorajamento à igreja coríntia sobre a contribuição. Em sua carta aos coríntios, escreveu:

> Não tenho necessidade de escrever-lhes a respeito dessa assistência aos santos (o povo de Deus em Jerusalém). Reconheço a sua disposição em ajudar e já mostrei aos macedônios o orgulho que tenho de vocês, dizendo-lhes que, desde o ano passado, vocês da Acaia (a maior parte da Grécia) estavam prontos a contribuir; e a dedicação de vocês motivou a muitos.
>
> Contudo, estou enviando os irmãos para que o orgulho que temos de vocês a esse respeito não seja em vão, mas que vocês estejam preparados, como eu disse que estariam, a fim de que, se alguns macedônios forem comigo e os encontrarem despreparados, nós, para não mencionar vocês, não fiquemos envergonhados por tanta confiança que tivemos. Assim, achei necessário recomendar que os irmãos os visitem antes e concluam os preparativos para a contribuição que vocês prometeram. Então ela estará pronta como oferta generosa, e não como algo dado com avareza. (2Coríntios 9:1-5)

Paulo encorajava a igreja dos coríntios sem fazer parecer que ele os estava acusando ou que deles duvidasse. Ele lhes disse que sabia que estavam preparados para dar e que estavam preparados há um bom tempo. Diz que tem orgulho deles, e que eles serão testemunhas para outro povo. Faz um grande preâmbulo até informar que está mandando alguém para garantir que a oferta deles será preparada como foi planejado.

Que diferença em nossos relacionamentos quando enfatizamos e trazemos à luz o lado positivo das pessoas. Isso não só ajuda os outros a melhorarem como também nos ajuda a gostar mais deles, do jeito que são.

Isso nos leva ao nosso próximo ponto.

Aceite os outros como eles são

Outra área de conflito para mim e Dave tinha a ver com o ministério. Dave muitas vezes sentia que eu estava "correndo à frente de Deus". Eu respondia que o ministério dele estava "esperando Deus". É lógico que disse isso com sarcasmo e com uma linguagem corporal desrespeitosa. Eu achava que se eu ouvia alguma coisa vinda de Deus, eu tinha que sair fazendo! Dave queria esperar um pouco e se certificar de que era a voz de Deus.

Há dois anos, Dave teve uma visão de como ele e eu éramos naquele tempo. Ele me via como um tropel de cavalos selvagens, e ele segurava as rédeas, tentando me desacelerar e me dando direção. Ele não estava tentando evitar que eu atendesse ao chamado da vida; apenas não queria que eu arranjasse encrenca.

Estávamos os dois errados. Eu agia rápido demais às vezes, e ele agia devagar demais. É exatamente por isso que precisávamos um do outro. Deus muitas vezes nos arranja com pessoas que não são como nós para que possamos servir de equilíbrio um para o outro.

Dave e eu tivemos também nossas rusgas a respeito dos esportes. Ele amava todos os tipos de esporte, e eu não gostava de nenhum deles. Seu amor por esportes, e minha falta de amor por eles, causaram um bocado de discórdia em nosso lar.

Um dia, no meio de uma discussão, Dave olhou para mim e exclamou: "Joyce, estou fazendo o melhor que posso." Respondi: "Eu também." Estávamos por fim cansados de ficar implicando um com o outro o tempo todo e nos provocando. No fim chegamos a dar as mãos. "Dave", comecei, "quero que você saiba que eu o aceito hoje do jeito que você é. Acredito que você esteja fazendo o melhor que pode." Ele respondeu: "Joyce, eu a aceito hoje do jeito que você é e acredito que você também está fazendo o melhor que pode." Isso foi um novo começo para nós dois! Nós finalmente começamos a permitir um ao outro a liberdade de ser quem se é.

As pessoas precisam de liberdade para crescer. Mas Deus não pode mudar uma pessoa se barramos sua passagem. Deus não podia falar a Dave porque eu estava ocupada demais falando com ele. Deus não poderia modificá-lo porque eu estava tentando modificá-lo. Deus precisava da minha fé, não de minha ajuda. Liberte as pessoas de sua vida e confie que Deus fará todas as modificações necessárias.

Temos que nos dedicar ao máximo, especialmente no casamento; mas o que fazer se o outro não quer de modo algum estar com você?

E se vocês não conseguem conviver?

Sabemos pelas Escrituras que Deus odeia os divórcios (veja Malaquias 2:14-16). Os maridos e as esposas têm que ficar unidos — não separados. Ainda assim, veja estes versículos de 1Coríntios: "E, se uma mulher tem marido descrente, e ele se dispõe a viver com ela, não se divorcie dele. Pois o marido descrente é santificado por meio da mulher, e a mulher descrente é santificada por meio do marido. Se assim não fosse, seus filhos seriam impuros, mas agora são santos [puros e limpos]. Todavia, se o descrente quiser separar-se, que se separe. Em tais casos, o irmão ou a irmã não fica debaixo de servidão [moralmente obrigado]; Deus nos chamou para vivermos em paz" (1Coríntios 7:13-15).

Acho que essa é uma declaração estarrecedora. Sabemos que o Senhor não deseja que nenhum casamento termine em divórcio. Ainda assim Paulo, falando sob inspiração de Deus, diz que se o parceiro descrente não quiser o relacionamento, e se quiser partir, devemos deixar partir, porque é importante que vivamos em paz. Tentar forçar alguém a permanecer casado, quando o outro não quer, somente trará mais tensão e discórdia para o casamento.

Quero deixar isso bem claro. Não estou defendendo que os casados se separem se encontram dificuldades em lidar um com o outro. A primeira carta aos Coríntios 7 diz que, se o *descrente* quiser deixar o casamento, que deixe.

Por outro lado, em alguns relacionamentos problemáticos um tempo separado pode ser útil, particularmente se o relacionamento é com um amigo ou um sócio no ministério ou nos negócios, em vez de ser com o esposo ou a esposa. Quando Paulo e Barnabé se depararam com dificuldades de relacionamento no ministério deles, resolveram ir cada um para um lado, para manter a paz entre eles. Eis o que aconteceu:

> Algum tempo depois, Paulo disse a Barnabé: 'Voltemos para visitar os irmãos em todas as cidades onde pregamos a palavra do Senhor, para ver como estão indo.' Barnabé queria levar João, também chamado Marcos [seu parente próximo]. Mas Paulo não achava prudente levá-lo, pois ele, abandonando--os na Panfília, não permanecera com eles no trabalho. Tiveram

> um desentendimento tão sério que se separaram. Barnabé, levando consigo Marcos, navegou para Chipre, mas Paulo escolheu Silas e partiu, encomendado pelos irmãos à graça [o favor e a misericórdia] do Senhor. Passou, então, pela Síria e pela Cilícia, fortalecendo as igrejas. (Atos dos Apóstolos 15:36-41)

Paulo e Barnabé passaram por problemas semelhantes aos nossos. Barnabé queria dar um emprego a seu parente Marcos. Paulo já tinha uma experiência anterior com Marcos e achou que isso não seria sábio. Um "desentendimento sério" veio à tona entre eles (v. 39).

Aparentemente, era tão sério que eles precisaram se afastar um do outro. Teria sido muito melhor se pudessem ter resolvido suas diferenças e continuado a trabalhar em conjunto, mas, já que isso era impossível, o melhor que se poderia fazer era se separar. Talvez precisemos fazer a mesma coisa quando não pudermos resolver nossas diferenças com os amigos íntimos ou com os sócios no ministério e nos negócios.

E se você for casado ou casada com outro cristão e já tiver tentado de tudo o que você sabe para resolver as coisas, e ainda assim vocês não conseguem se entender? Um tempo separado é preferível a um divórcio. Talvez durante a separação ambas as partes possam ver as coisas mais claramente. Isso acontece com frequência. As pessoas têm tempo para arejar a cabeça, deixar as emoções acaloradas esfriarem e fazer o silêncio necessário para escutar o Senhor. Têm tempo suficiente para perguntar a Deus o que ele quer que façam naquela situação.

De fato, muitos cristãos acreditam que algo parecido aconteceu com Paulo e Barnabé. Paulo certamente fez as pazes com João Marcos (a causa de sua briga com Barnabé), porque sabemos que, no final de sua vida, o apóstolo pediu a Lucas que lhe trouxesse Marcos (2Timóteo 4:11). Se Paulo estava de bem com João Marcos, talvez já tivesse feito as pazes com Barnabé.

Por vezes, encaramos os defeitos de uma pessoa por tanto tempo que não conseguimos mais ver seus pontos fortes. Um tempo longe um do outro, mesmo que seja uma semana na casa de um parente em outro estado, pode nos ajudar a ver as coisas boas a respeito dessa pessoa que passam despercebidas quando ela está sempre presente. Você conhece o velho ditado: "Só se dá valor ao que se perde."

Enfim...

Jesus é o rei da paz. Ele disse em Mateus 5:9: "Bem-aventurados os [desfrutando de invejável felicidade, prósperos espiritualmente — com alegria de viver e satisfação no favor de Deus e salvação, a despeito de suas condições aparentes] criadores e mantenedores da paz, pois eles serão chamados de filhos de Deus!" Talvez você esteja mais familiarizado com outra tradução: "Bem-aventurados os puros de coração, pois verão a Deus."

Ser um pacificador é uma decisão. Se queremos desfrutar de suas bênçãos, devemos decidir viver em paz com os outros. Devemos aprender a discordar em concórdia, a enfatizar o positivo e a aceitar uns aos outros. Como veremos no próximo capítulo, esse último ponto é ainda mais importante quando se trata do relacionamento com nossos filhos.

SER UM PACIFICADOR É UMA DECISÃO.

Resumo e reflexão

Caminhar em paz com os outros é muitas vezes um desafio. Se possível, o demônio tentará sabotar cada um de seus relacionamentos com a discórdia. Você sempre pode evitá-la. Algumas vezes terá que confrontá-la, botá-la para fora e tentar chegar a algum acordo de paz.

O apóstolo Paulo faz uma declaração poderosa na primeira carta aos Coríntios 7:15: "Deus nos chamou para vivermos em paz." Se é isso que Deus deseja para nossa vida, ele pode curar nossos relacionamentos e tornar a paz possível.

1. Liste os relacionamentos em sua vida que foram atacados por conflito e discórdia.
2. É possível que você tenha culpa — ao menos em parte — pelos problemas em alguns de seus relacionamentos. No entanto, é também possível que você esteja sendo vitimado pela discórdia de mais alguém. Pense bem e ore em busca das causas da discórdia nesses relacionamentos. Anote as verdades difíceis de encarar sobre o que você descobriu.
3. Pense em uma discordância recente que você teve com alguém. Então, orando, reflita sobre os princípios de como discordar em concórdia, listados abaixo. Quais destes princípios você poderia ter aplicado naquela situação para manter a paz com a outra pessoa? Explique.
   Demonstre respeito um pelo outro.
   Deixe estar por um tempo.
   Seja paciente.
   Procure uma resposta que possa satisfazer a ambas as partes.
   Ceda regularmente.
4 Enfatizar os pontos positivos de uma pessoa é uma boa maneira de construir pontes em seus relacionamentos. Faça uma lista das características positivas da pessoa com quem você se desentendeu.

5. Descreva uma situação na qual você se sentiu responsável por modificar as opiniões de alguém. Qual foi o resultado? Agora suponha que você pudesse reescrever essa história. Descreva a situação que você acabou de mencionar, mas dessa vez mude os detalhes para respeitar e honrar a opinião do outro indivíduo, sendo ao mesmo tempo fiel a seus sentimentos e opiniões.
6. Algumas vezes nos fixamos tanto nos defeitos de uma pessoa que deixamos de enxergar seus pontos fortes. Existe algum relacionamento (que não o de marido e mulher) em sua vida que tenha chegado a esse ponto de ruptura? Passe algum tempo orando e pedindo ao Espírito Santo que lhe mostre como lidar com o distanciamento. Escreva como sente que Deus está conduzindo você para lidar com a situação.

Senhor, comprometo-me a permitir aos outros a liberdade de manter suas próprias opiniões e de fazer suas próprias escolhas. Confio em ti para moldares as pessoas no formato que tu queres. Ajuda-me a ser um pacificador em atitudes, linguagem corporal e expressões faciais. Dá-me a graça de ser elegante e positivo em todos os meus relacionamentos. Se algum de meus relacionamentos estiver no ponto de ruptura, mostra-me como poderia obter novas perspectivas sobre as pessoas envolvidas. Ajuda-me a ver o que há de positivo em todos ao meu redor e ajuda-me a falar de maneira positiva, mesmo quando eu tiver de repreender alguém. Obrigada, Senhor.

CAPÍTULO DEZ

Aceite seus filhos como eles são

EU APRENDI, DE MANEIRA DURA, que para que os pais possam ter relacionamentos harmoniosos e positivos com seus filhos, é absolutamente vital que os aceitemos como eles são, e não tentemos modificá-los.

Dave e eu temos quatro filhos. Dois deles eu achei fácil de criar; os outros dois foram uma luta. Ainda que você possa pensar que é fácil conviver com uma criança que é igual a você, sei de experiência própria que pode ser tão difícil quanto conviver com uma criança que é muito diferente de você. Muitos pais e mães que têm um filho ou filha exatamente iguais a eles frequentemente veem nessa criança todas as fraquezas que desaprovam neles mesmos. Isso foi o que aconteceu entre meu filho mais velho e eu. Também tive muitas batalhas com minha filha mais velha. No entanto, ela é o meu oposto em algumas coisas, e eu a julgava pelas fraquezas que ela possuía e que não compartilhávamos.

Se nós, pais, quisermos ter um relacionamento harmonioso com nossos filhos, devemos ser capazes de distinguir entre suas fraquezas e suas personalidades. De outro modo, talvez terminemos rejeitando nossos próprios filhos, o que fomenta rebelião e todo tipo de discórdia.

Nem sempre compreendi essa verdade, e fiz o possível para tentar mudar essas duas crianças. E não funcionou. Na verdade, só fez as coisas piorarem e fez com que um deles se afastasse de mim por um tempo.

Deixe-me contar o que eu fiz para fomentar discórdia no coração de meus filhos — bem como o que fiz mais tarde para resistir a ela e trazer a cura — na esperança de que isso possa auxiliá-lo a evitar cometer os mesmos erros com seus filhos. Se você já está experimentando a dor de um relacionamento despedaçado, espero que este capítulo o inspire a tomar a decisão certa de oferecer a seus filhos o perdão e o amor de que eles precisam.

Aprendendo a aceitar David

Uma vez que tanto meu filho David como eu temos personalidades fortes do tipo "eu tomo conta da situação", estávamos sempre tentando "tomar conta" um do outro. Eu queria que ele fizesse o que eu queria, ele queria fazer o que ele queria. E ele queria que eu fizesse o que ele queria. Mesmo quando tinha uns três anos, ele insistia para que eu me sentasse e brincasse com ele, em vez de brincar sozinho. Eu sempre sentia, de alguma maneira vaga, que David estava tentando me controlar. À medida que ele crescia, o problema também aumentava. Eu sentia o tempo todo uma batalha entre nós e nunca entendia plenamente o que estava se passando.

Eu amava meu filho, mas, para ser honesta, eu não gostava dele, e me sentia terrivelmente culpada por isso. Sei que muitos dos que estão lendo este livro já passaram por essa situação. Sabemos que devemos amar e aceitar nossos próprios filhos. Quando isso parece impossível, a culpa começa a nos acusar. Mais tarde me dei conta de que a razão para eu não gostar de David tinha mais a ver comigo, não com ele. Eu não gostava de mim mesma, portanto, logicamente, eu tampouco gostava dele, já que ele era tão parecido comigo.

Embora eu tivesse uma personalidade forte, eu não gostava de ficar perto de ninguém que também fosse assim. Queria manter o controle — não ser controlada. Se eu tivesse compreendido isso quando David era jovem, eu poderia tê-lo ajudado a aprender a ser forte de uma maneira positiva. Mas, já que não entendia, eu só contribuía para a fraqueza em seu temperamento. Nós vivíamos em constante batalha, e isso colocava sobre ele tanta pressão quanto em mim.

As crianças podem sentir quando um pai ou mãe não está contente com eles. David sabia bem lá no fundo que eu não estava contente com ele, e se sentia rejeitado. Eu não estava lhe dando a liberdade de ser quem ele era. Como fiz com muitas pessoas, eu tentava modificá-lo para tornar-se o que eu gostaria que ele fosse.

O livro dos Provérbios adverte os pais exatamente sobre isso: "Instrua a criança no caminho que ela deva seguir [e mantendo seu dom ou inclinação individual], e quando ela for velha, ela não se afastará dele" (Provérbios 22:6).

Aprendi muito com esse versículo. Ele não diz "instrua a criança do jeito que você gostaria que ela fosse", mas declara que devemos treinar nossas crianças de acordo com seus dons ou inclinações individuais — de acordo com as "marcas espirituais" que vemos em nossas crianças.

Se eu fosse mais espiritualmente afinada, teria reconhecido que Deus havia criado David para a liderança e que dera ao meu filho o temperamento adequado. Em vez de enxergar isso, tudo o que eu percebia era que David me deixava desconfortável, e que eu queria que ele mudasse.

David e eu tivemos sérios problemas em nosso relacionamento durante um longo período. Porém, quanto mais eu aprendia a Palavra de Deus, mais eu percebia que não estava lidando com a situação da maneira correta. Recordo-me vivamente quando nosso relacionamento começou a dar a volta.

David estava com dezoito anos. Certo dia, Deus disse-me que eu precisava perdoar meu filho por não atingir as *minhas* expectativas. Ele me disse que eu tinha raiva de David porque ele não era o que *eu* queria que ele fosse; disse que eu tinha que perdoar David por isso e aceitá-lo, proferindo isso verbalmente.. Eu precisava que David soubesse que mesmo que eu não concordasse sempre com ele, eu o amava e estava disposta a aceitá-lo do jeito que ele era.

Após ter perdoado David e ter dito a ele que o amava e que o aceitava, nosso relacionamento começou a ser curado e a modificar-se. Pouco depois disso, Deus o convocou para o seminário. Ele se formou, casou-se e passou um ano em missão de campo na Costa Rica. De volta da viagem, veio trabalhar conosco, sendo agora um líder-chave em nosso ministério.

Quando David veio trabalhar conosco, ele e eu lutamos para aprender a funcionar em conjunto adequadamente e nos diferentes papéis — mãe e filho, empregador e empregado, bem como Dave e eu preenchendo os papéis de líderes espirituais em sua vida.

David está ainda crescendo espiritualmente, mas no plano de Deus. O mesmo traço de sua personalidade contra o qual eu tanto lutei quando ele era criança é hoje a maior bênção para nós em seu papel no ministério. Precisamos de pessoas com dons de gerenciamento nas quais possamos confiar, e David é uma dessas pessoas.

Deus também trouxe cura no meu relacionamento com minha filha mais velha.

Aprendendo a aceitar Laura

Tanto pequena como adolescente, Laura sempre esquecia suas tarefas e perdia seus pertences. Se ela se lembrasse de fazer seu dever de casa à noite, ela perdia o papel na manhã seguinte antes da escola. Ou então, se conseguisse achar, esquecia-se de colocar seu nome e não recebia menção pelo dever feito. Como resultado, tirava notas baixas ou medíocres na escola.

Quando Laura chegava em casa à noite após o colégio, deixava uma trilha de objetos pessoais em todos os lugares por onde passava. Seu casaco ficava largado em uma cadeira, suas chaves sobre a mesa, sua bolsa jogada no sofá, seus livros esparramados no chão da cozinha. Ela subia para o quarto (que estava sempre bagunçado), pulava na cama e telefonava para alguém.

Nasci com dons organizacionais e sempre fui uma pessoa naturalmente disciplinada. Eu esperava que minha filha fosse assim. Eu falava e falava, tentando com que Laura entendesse. E, quando a conversa não funcionava, eu berrava e gritava.

Depois que Laura completou o Ensino Médio, veio trabalhar no Joyce Meyer Ministries. Naquela época, nossos escritórios ficavam localizados no primeiro andar de nossa casa. Apesar de ter conversado com ela sobre a necessidade de desenvolver um relacionamento patrão/empregado, ficou logo claro que tê-la contratado representaria uma oportunidade para a discórdia.

Ela era bem jovem, com ideias próprias sobre a vida e sobre como as coisas deveriam ser. Estava passando por uma fase de leve rebeldia. Não era nada sério, mas não queria mais ninguém, muito menos mamãe e papai, mandando nela.

Certas manhãs, eu a descobria no banheiro ainda penteando o cabelo quando deveria estar lá embaixo trabalhando. É claro que eu sentia que precisava dizer que ela devia ser pontual no trabalho. Não era desculpa que o escritório ficasse em nossa casa e que ela era nossa filha.

Dave e eu tentamos explicar os princípios da excelência, enfatizamos que tínhamos de pensar nos outros funcionários. Ela assentia com a cabeça, concordando. Por fora, sua resposta era "ok, vou fazer o que vocês dizem", mas em seu coração ela sentia que nós é que estávamos errados, e eu sentia nela uma "contracorrente submersa de raiva".

Houve ocasiões em que ela queria sair mais cedo do trabalho para ir a algum lugar com o namorado, e tivemos que dizer não. Houve ocasiões em que achamos que ela estava passando tempo demais conversando com ele ao telefone durante o período de trabalho. Eu me sentia cada vez mais desconfortável, e comecei a entender que nosso relacionamento seria totalmente arruinado se alguma providência não fosse tomada. Já havia tentado confrontar o problema, mas isso só tinha tornado tudo pior. O que podíamos fazer? Será que teríamos que demitir nossa própria filha?

Deus havia instruído Dave e eu que, se mantivéssemos a discórdia fora de nossa casa, ele iria nos abençoar. Já havíamos sido testados e julgados nessa área. Sabíamos que o inimigo estava nos tentando em nosso relacionamento com nossa filha crescida. É como se ele estivesse nos dizendo: "Vamos ver até que ponto vocês estão comprometidos em manter a discórdia distante."

Dave e eu conversamos e oramos para saber o que fazer. Ambos sentíamos que seria melhor para nosso relacionamento se Laura trabalhasse em outro lugar. Fomos conversar com ela e abertamente compartilhamos nossos sentimentos, e ela concordou.

Não muito tempo depois de parar de trabalhar em nosso ministério, Laura nos anunciou que queria casar-se. Ela e eu tivemos alguns desentendimentos sobre nossa obrigação financeira para a cerimônia, e durante os meses anteriores ao casamento, e mesmo no dia do casamento, agimos de modo bastante frio uma com a outra. Ainda que ela morasse a apenas quinze minutos de nossa casa, Dave e eu raramente a víamos ou tínhamos notícias suas ao longo dos primeiros seis meses que ela viveu fora de nossa casa.

QUANDO UM FILHO OU FILHA REJEITA SEUS PAIS, OS PAIS TENDEM A SENTIR-SE UM COMPLETO FRACASSO NO DEPARTAMENTO PATERNAL.

Uma noite eu comecei a chorar na cama. Virei-me para Dave e desabafei: "Laura já não nos ama mais." Esse foi um sentimento de muita mágoa para mim, como seria para qualquer mãe. Quando um filho ou filha rejeita seus pais, os pais tendem a sentir-se um completo fracasso no departamento paternal.

Dave tentou me dizer que Laura mudaria se eu desse a ela um tempo. "Ela só precisa de um tempo só dela", ponderou. "Ela vai descobrir que a vida é um pouco diferente do que ela acha que vai ser. Ela vai ver que mamãe e papai não eram tão ruins assim."

Dave tinha razão. Após um tempo, Laura vinha nos visitar mais frequentemente. Tínhamos muito cuidado em não interferir em seus negócios porque nos demos conta de que ela se mostrava muito sensível com relação a nossas instruções. Preferimos nos abster inclusive de sugerir mudanças. Tinha parado de ir à igreja, e isso nos preocupava, mas sabíamos que era importante não a pressionar a esse respeito. Como pais, é muito difícil ver seus filhos lutando nessa área, sabendo que, se você tentar forçar o crescimento espiritual deles, só irá piorar as coisas.

Precisávamos amar Laura do jeito que ela estava e deixar Deus fazer o que fosse necessário. Continuamos amando nossa filha, oramos por ela e esperamos. À medida que prosseguimos respeitando-a do jeito que ela era, ela começou a resistir menos. Conseguimos até conversar com ela a respeito da necessidade de voltar a frequentar a igreja regularmente e parar de se desviar do caminho de Deus. Ela concordou, mas não estava pronta para resolver isso em sua vida.

Não estou dizendo que fizemos isso sem sofrimento emocional. Era difícil para nós ver Laura afastada da igreja enquanto éramos ministros em tempo integral. Deus vem em primeiro lugar em nossa vida, e queríamos que ela colocasse Deus em primeiro lugar em sua vida. Ela nunca deixou de crer, mas sabíamos que acabaria arrumando problemas se não tomasse logo uma decisão. Ou o cristão segue em frente, ou começa a ficar para trás. Não se pode ficar estagnado.

O primeiro trabalho de Laura depois de nosso ministério foi em uma firma de advocacia. Ela se viu infeliz ali depois de um certo tempo e assumiu outro emprego em uma escola estadual para cegos. Sempre gostou de ajudar pessoas em dificuldades, e achava que seria mais feliz lá. Realmente deu certo por um tempo, porque era uma coisa nova, mas depois a insatisfação retornou.

Quando Laura parou de trabalhar para nós, lhe dissemos que as portas estariam sempre abertas, mas que ela teria de assumir um compromisso espiritual com Deus. Chegara finalmente a hora de ela querer voltar a trabalhar conosco. Ela sabia que precisaria mudar sua vida a fim de trabalhar no ministério, e acreditava que voltar a trabalhar conosco a ajudaria a conseguir a mudança. Tivemos longas conversas, e todos concordamos em tentar de novo.

Laura vem trabalhando para nós já há muitos anos. Ela é parte vital do que estamos fazendo. Ocupou-se do escritório por um bom tempo, até surgir a oportunidade para que seu marido ficasse encarregado do som em nossas turnês. Ele assumiu essa posição por um bom tempo até ser promovido a gerente de turnê. Agora, é nosso diretor de conferências. Tanto Laura quanto seu marido têm feito um excelente trabalho. Nós nos damos muito bem, e todos estão felizes.

Tudo isso começou com uma dessas situações em que ficar perto demais causava problemas. Mas todos amadurecemos e tornamo-nos sábios o suficiente. Conseguimos voltar ao bom equilíbrio.

Liberte seus filhos

Por anos fiz a mim mesma — e a minhas crianças — infelizes nos meus esforços em tentar modificá-los. Deus fez com facilidade, e em um curto período de tempo, o que eu tentei fazer por anos.

SE VOCÊ AMA SEUS FILHOS, LIBERTE-OS, ACEITANDO-OS COMO SÃO. SE SEU AMOR FOR VERDADEIRO, ELES VOLTARÃO PARA VOCÊ.

Pela graça de Deus eu não parti o espírito de David ou de Laura. Quando um filho ou filha está fazendo o melhor que pode, e ainda assim seus pais estão continuamente insatisfeitos, isso frustra o filho e com o tempo pode partir seu espírito. As crianças que tiveram o espírito partido não querem tentar mais. Podem desistir e tornarem-se rebeldes como forma de se defender da crítica constante. Os pais têm que seguir o conselho de Paulo: "Pais, não irritem [exasperem ao ressentimento] seus filhos; antes criem-nos [carinhosamente] segundo a instrução e o conselho do Senhor" (Efésios 6:4).

O amor e a aceitação são os maiores dons que os pais podem dar a seus filhos. A aceitação liberta nossos filhos para tornarem-se e para serem como Deus planejou que fossem. O amor não tenta manipular para ganho pessoal, mas os ajuda a superar suas fraquezas e por fim os transforma nas criaturas amáveis que Deus tinha em mente de início. Se você ama seus filhos, liberte-os, aceitando-os como são. Se seu amor for verdadeiro, eles voltarão para você.

Resumo e reflexão

A mistura de temperamentos, de gostos e de opiniões dentro das famílias pode ser um solo fértil para a discórdia, particularmente quando os pais tentam modificar uma criança. A mensagem para a criança — "você não é aceitável do jeito que é" — suscita discórdia e rebelião. É por isso que a palavra de Deus diz: "Pais, não irritem [exasperem ao ressentimento] seus filhos; antes criem-nos [carinhosamente] segundo a instrução e o conselho do Senhor" (Efésios 6:4).

1. Descreva os diferentes tipos de personalidade em sua família. Alguns desses membros são passivos? Alguns membros têm personalidade forte? Que conflitos de personalidade causam atrito em sua família?
2. Que ações, atitudes ou traços de sua personalidade tendem a incitar a discórdia familiar?
3. Que fraquezas dos membros da família você acha particularmente irritantes ou difíceis de lidar e aceitar?
4. De que forma você pode dar a esses membros da família a liberdade de crescer sem que se sintam rejeitados? O que eles precisam ouvir de você para se libertar?
5. Você se vê às voltas com brigas, rusgas, discussões, debates e reclamações constantes com um determinado membro da família sobre os mesmos conflitos não resolvidos sem notar nenhuma melhora? Explique.
6. Como você poderia entregar essas rusgas a Deus e encontrar modos mais pacíficos para lidar com esses conflitos?

Querido Pai celestial, entrego a ti os membros da minha família, e rogo por paz em todas as nossas interações e conflitos. Agradeço-te por criar cada um de nós com nossas fraquezas, hábitos irritantes e diferentes traços de personalidade. Dá-nos a graça de sempre te ver em cada semelhante, de sempre aceitar e amar cada um deles, e de sempre amar e aceitar a nós mesmos. Em nome de Jesus, amém.

Parte 3

LIBERANDO O PODER E A BÊNÇÃO DE DEUS

CAPÍTULO ONZE

Viver em harmonia com os irmãos

A IGREJA EM ATOS DOS APÓSTOLOS tinha uma grande força espiritual. Por quê? "Todos os dias, continuavam a reunir-se no pátio do templo [com um objetivo comum]" (Atos dos Apóstolos 2:46). Esses cristãos tinham a mesma visão, o mesmo objetivo, e seguiam em direção ao mesmo ponto. "Ouvindo isso, levantaram juntos a voz a Deus, dizendo: 'Ó Soberano, tu fizeste os céus, a terra, o mar e tudo o que neles há!'" (Atos 4:24). Eles oravam em concórdia (Atos 4:24), viviam em harmonia (Atos 2:44), cuidavam uns dos outros (Atos 2:46), atendiam às necessidades mútuas (Atos 4:34) e viviam uma vida de fé (Atos 4:31). A igreja primitiva, como descrita no livro de Atos, vivia em unidade, e como resultado operava com um poder maior.

No entanto, quando a igreja começou a se dividir em várias facções com diferentes opiniões, o poder da igreja esmoreceu. As pessoas que não conseguiam viver em concórdia por conta de seu orgulho e outros problemas relacionados fizeram com que a igreja se dividisse em muitos grupos diferentes.

No entanto, o apóstolo Paulo disse à igreja dos coríntios que eles tinham que se entender entre si se eles quisessem receber as dádivas que Deus havia prometido. Ele escreve ele na primeira carta aos coríntios 1:9-11: "Fiel [confiável, cujas promessas são sempre verdadeiras e dele podemos depender] é Deus, o qual os chamou à comunhão com seu Filho Jesus Cristo, nosso Senhor. Irmãos, em nome de nosso Senhor Jesus Cristo suplico a todos vocês que concordem uns com os outros no que falam, para que não haja divisões entre vocês; antes, que todos estejam unidos em um só pensamento e em um só parecer. Meus irmãos, fui informado por alguns da casa de Cloe de que há divisões [desavenças] entre vocês."

Os cristãos da igreja de Corinto eram pessoas iguais a nós, pessoas em relacionamentos umas com as outras, discutindo sobre temas triviais que deveriam ser importantes para elas. Vemos isso em 1Coríntios 1:12: "Com isso quero dizer que algum de vocês afirma: 'Eu sou de Paulo'; ou 'Eu sou de Apolo'; ou 'Eu sou de Pedro [Kephas]'; ou ainda 'Eu sou de Cristo'."

A mim parece que apenas os nomes foram trocados nas discussões de hoje em dia. Agora ouvimos "eu sou católico", "sou luterano", "sou batista" ou "sou pentecostal ou carismático".

Continue a ler até o versículo 13: "Acaso Cristo (o Messias) está dividido? Foi Paulo crucificado em favor de vocês? Foram vocês batizados em nome de Paulo?"

Paulo estava dizendo aos coríntios para pensar em Cristo, não uns nos outros. Se devemos viver em paz uns com os outros — e liberar o poder e as bênçãos de Deus em nossa vida — devemos fazer o mesmo. Às vezes, ficamos tão chateados e preocupados com o que os outros cristãos estão fazendo que esquecemos tudo sobre Jesus e que ele nos chama para vivermos em unidade uns com os outros.

Procure viver em harmonia e paz

A Palavra de Deus instrui, encoraja e clama aos cristãos que vivam em harmonia uns com os outros. Por quê? Porque Deus nos quer abençoados, levando nossa vida com poder, e ele sabe que uma vida assim não é possível a não ser que vivamos em paz.

A paz nos une ao precioso Espírito Santo. O Espírito de Deus é um espírito de paz. Jesus é o príncipe da paz. Quando ele estava preparado para ascender aos céus, disse a seus discípulos: "Deixo-lhes a paz; a minha paz lhes dou. Não a dou como o mundo a dá. Não se perturbe o seu coração, nem tenham medo [parem de permitir a si mesmos a agitação e a perturbação, e não permitam a si mesmos serem medrosos, intimidados, covardes e irrequietos]" (João 14:27).

Após sua ressurreição, Jesus apareceu para seus discípulos. O vigésimo capítulo de João nos conta suas aparições para seu povo: "Jesus entrou, pôs-se no meio deles e disse: 'Paz seja com vocês!' [...] Novamente, Jesus disse: 'Paz seja com vocês!' (João 20:19,21). Ainda que seus discípulos estivessem atrás de portas fechadas, Jesus pôs-se no meio deles e disse: "Paz seja com vocês!" (João 20:26). Acho que é evidente que Jesus estivesse dizendo "Permaneçam em paz!"

Jesus nos deu sua paz para nossa proteção. A Palavra diz que devemos "tão somente acalmarmo-nos" e deixar que a "a paz... seja o juiz em seu coração". Temos que "buscar a paz com perseverança" e ser "pacificadores" (Salmos 34:14; Mateus 5:9).

Jesus nos deu a paz, mas esta certamente nos escapará se não estivermos determinados a mantê-la conosco. A palavra de Deus nos diz que, se quisermos viver em harmonia uns com os outros, devemos perseverar na paz e buscá-la. Pedro escreveu em sua epístola:

> Quanto ao mais, tenham [vocês] todos o mesmo modo de pensar [unidos em espírito], sejam compassivos [uns com os outros], amem-se [uns aos outros] fraternalmente [como irmãos em um mesmo lar], sejam misericordiosos [compassivos, caridosos] e humildes. Não retribuam mal com mal, nem insulto com insulto [brigas, ofensas, maledicências];

> ao contrário, bendigam [orando pelo bem-estar, felicidade e proteção, e verdadeiramente tendo amor e compaixão pelos demais]; pois para isso vocês foram chamados, para receberem bênção [de Deus — para que você possa obter bênçãos como herdeiro, bem-estar, felicidade e proteção] por herança.
>
> Pois, quem quiser amar a vida e ver dias felizes [que pareçam ou não felizes], guarde a sua língua do mal e os seus lábios da falsidade [da maledicência, da trapaça]. Afaste-se do mal e faça o bem; busque a paz [harmonia, sem perturbar-se com medos, paixões avassaladoras e conflitos morais] com perseverança [e não apenas deseje relacionamentos pacíficos com Deus, com seus próximos e com você mesmo, mas os persiga, vá atrás deles!]. (1 Pedro 3:8-11)

Não basta desejar a paz. Temos que viver de verdade em paz em todos os nossos relacionamentos: com Deus, com os outros, conosco.

Paulo deve ter compreendido como a paz pode ser fugidia a não ser que a persigamos diligentemente, porque em muitas de suas cartas ele clama aos cristãos para que vivam em harmonia. Por exemplo, escreveu aos filipenses:

> Completem a minha alegria, tendo o mesmo modo de pensar, o mesmo amor, um só espírito e uma só atitude. Nada façam por ambição egoísta ou por vaidade [por discórdia, egoísmo ou por fins inválidos], mas humildemente considerem os outros superiores a si mesmos [tenham um conceito mais alto sobre os outros do que sobre si]. (Filipenses 2:2,3)

A seguir, em 2Coríntios 13:11, ele diz:

> "Sem mais, irmãos, despeço-me de vocês [regozijem--se]! Procurem aperfeiçoar-se [tornarem-se perfeitos, completos, do jeito que devem ser]; exortem-se [encorajem-se] mutuamente e tenham um só pensamento, vivam em paz. E [então] o Deus [que é a fonte de afeto, boa-vontade, amor e benevolência em relação aos homens] de amor e [autor e promotor da] paz estará com vocês."

Paulo disse também aos efésios:

> Sejam completamente humildes e dóceis [altruístas, gentis e afáveis], e sejam pacientes, suportando uns aos outros com amor. Façam todo o esforço para conservar a unidade do [e produzida pelo] Espírito pelo [poderoso] vínculo da paz. (Efésios 4:2,3)

Para viver em harmonia, devemos fazer concessões uns para com os outros, deixando de considerar erros e defeitos alheios. Devemos ser humildes, amorosos, compassivos e corteses. Devemos estar dispostos a perdoar rapidamente e com frequência. Não devemos nos ofender facilmente e devemos abençoar os outros em vez de os amaldiçoar. Devemos ser generosos na misericórdia, e devemos suportar tudo [sermos pacientes].

O "doce som" da harmonia

Deus deu-me um exemplo do que significa viver em harmonia uns com os outros quando eu estava cumprindo o ministério em uma igreja. Eu havia pedido a todo o grupo de adoração para voltar à plataforma e então pedi que cantassem e tocassem uma canção de sua escolha. Eu sabia, é claro, que todos iriam escolher uma canção diferente porque eu os havia instruído sobre a lista de canções. E quando eles cantaram e tocaram, o som foi horrível! Não havia harmonia. Então pedi que cantassem "Jesus me ama". Ela soou doce, suave, maravilhosamente reconfortante. A desarmonia é barulho no ouvido de Deus, mas, quando vivemos em harmonia, produzimos um doce som. Não somente isso, mas, quando vivemos em paz uns com os outros, estamos na verdade em guerra espiritual.

Resumo e reflexão

Sem unidade e harmonia, a verdadeira força espiritual não pode ser liberada.

1. A igreja do Novo Testamento do livro dos Atos dos Apóstolos é um retrato de unidade e harmonia. Diz-se no Atos dos Apóstolos 2:46: "Todos os dias, continuavam a reunir-se no pátio do templo [com um objetivo em comum]". Descreva em maiores detalhes as características da primeira igreja cristã usando os seguintes versículos:

- **Atos 2:44**
- **Atos 2:46**
- **Atos 4:31**
- **Atos 4:34**

2. A Palavra de Deus diz: "Como é bom e agradável quando os irmãos convivem em união! É como óleo precioso derramado sobre a cabeça, que desce pela barba, a barba de Arão [o primeiro sumo sacerdote], até a gola das suas vestes [consagrando todo o corpo]. É como o orvalho do [altivo Monte] Hermom quando desce sobre os montes de Sião. Ali o Senhor concede a bênção da vida para sempre."

3. Recorde-se de uma ocasião em que você se envolveu em discórdia na igreja. Descreva como a discórdia chegou e o que aconteceu como resultado.
4. Agora recorde-se de um tempo em que você pessoalmente vivenciou o tipo de unidade de que trata Salmos 133. Escreva o que aconteceu e como você se sentiu.
5. Devemos perseguir a paz com os irmãos. Você está por acaso em algum relacionamento no qual deveria perseguir a paz? Explique.
6. Em Filipenses 2:3, está escrito: "Nada façam por ambição egoísta ou por vaidade [por discórdia, egoísmo ou por fins inválidos], mas humildemente considerem os outros superiores a si mesmos [tenham um conceito mais alto sobre os outros que sobre si]". A partir desse versículo, como você poderia perseguir a paz com aquele indivíduo ou grupo?

Amado Senhor, pelo poder do teu maravilhoso Espírito Santo, revela-me qualquer atitude que tenha criado ou fomentado discórdia entre os cristãos próximos a mim. Eu humildemente me arrependo por não ser agente da paz. Mostra-me como eu posso restaurar a paz em meus relacionamentos partidos ou danificados por ofensas e mal-entendidos. Assumo um novo compromisso: tornar-me um pacificador sempre que possível com tua ajuda. Amém.

CAPÍTULO DOZE

Revise sua estratégia para a guerra espiritual

QUANDO TORNEI-ME UMA CRISTÃ CARISMÁTICA, escutei um bocado de ensinamentos sobre a guerra espiritual. Tinha passado toda a minha vida travando minhas próprias batalhas sem sucesso, e queria que minhas lutas acabassem. Afinal, eu havia descoberto o culpado por trás de meus problemas — assumir autoridade sobre o demônio colocaria um fim na infelicidade. Eu queria aprender tudo o que estivesse disponível para derrotá-lo, porque era óbvio que ele estava me dando um bocado de trabalho, e eu queria estar no controle, para variar.

Assim, comecei a aplicar todos os métodos que havia aprendido e ficava ocupada repelindo, resistindo, despachando para longe, apertando e afrouxando, jejuando e orando, e tudo o mais que as pessoas me diziam para fazer. No entanto, eu não conseguia a vitória. Eu detinha os métodos, mas o poder de Deus não fluía. Na verdade, os resultados eram mínimos, e eu estava cansada, quase a ponto do "esgotamento espiritual", que é o que acontece quando repetimos procedimentos sem resultados positivos.

Então o Senhor graciosamente compartilhou comigo algumas verdades que se tornaram bênçãos em minha vida. Mostrou-me que os "métodos" da guerra espiritual são bons, mas que são apenas transportadores, ou invólucros, para seu poder real. Então abriu-me uma maneira toda nova para eu olhar para a guerra espiritual ao desafiar-me a observar como Jesus lidava com o demônio e como nos ensinou a viver.

Quando eu fiz isso, me dei conta de que os métodos que ele nos ensina para sermos vitoriosos são geralmente o oposto do que parece fazer sentido em nossa cabeça. Por exemplo, ele nos diz para abrir mão do que possuímos, para que no fim tenhamos mais do que tínhamos no começo. (Veja Mateus 19:21.) Ele diz que os primeiros serão os últimos e que os últimos serão os primeiros. (Veja Mateus 19:30). Ele ensina: "O caminho para cima passa por baixo; seja humilde, e eu o exaltarei" (veja Mateus 18:4, 23:12; Tiago 4:6; 1Pedro 5:6).

Seus seguidores queriam que ele erguesse um reino na terra e que se comportasse como um rei. Queriam que ele atacasse o inimigo militarmente. Mas ele nos ensinou uma maneira diferente de lutar nossas batalhas: "Mas eu lhes digo: amem os seus inimigos e orem por aqueles que os perseguem [ferem e abusam de você]" (Mateus 5:44).

Ele também disse em Lucas 6:27,28: "Mas eu digo a vocês que estão me ouvindo [para prestar atenção, façam disso um prática]: Amem os seus inimigos, façam o bem [sejam bons, ajam com nobreza] aos que os odeiam, abençoem os que os amaldiçoam, orem por aqueles que os maltratam [implore as bênçãos de Deus para aqueles que abusam de você]".

Essa era uma maneira de pensar toda nova! Jesus vinha para abrir um "novo e vivo caminho" (Hebreus 10:20), que poderia ministrar a vida no lugar de ministrar a morte. Ele o conquistou com calma e gentileza. Dava as regras com suavidade e amor. Ele humilhava-se e era colocado num lugar bem acima das demais autoridades. Percebi que, se quisesse vivenciar o poder de Deus, como Jesus o fizera, eu precisava expandir minha definição de guerra espiritual para incluir a obediência, a paz, o amor, porque ele insistiu na importância de cada um desses itens.

A guerra da obediência

Até este ponto venho focalizando a última parte de Tiago 4:7, que diz: "Resistam ao Diabo, e ele fugirá de vocês." Eu tinha me ocupado em resistir a Satanás, mas ele não estava fugindo de mim. Então o Espírito Santo abriu-me os olhos para ler o versículo por inteiro: "Portanto, submetam-se a Deus. Resistam ao Diabo [imponham-se firmemente contra ele], e ele fugirá de vocês." Dei-me conta de que eu não estava tão voltada a submeter-me a Deus quanto estava em resistir ao diabo. Foi um alívio descobrir que minha obediência iria liberar o poder de Deus em minha vida.

OS MÉTODOS QUE ELE NOS ENSINA PARA SERMOS VITORIOSOS SÃO GERALMENTE O OPOSTO DO QUE PARECE FAZER SENTIDO EM NOSSA CABEÇA.

Ao caminharmos em obediência a Deus, os anjos nos auxiliam em nossa guerra. O salmista disse: "Porque a seus anjos ele dará ordens [especiais] a seu respeito, para que o protejam em todos os seus caminhos [de obediência e serviço]" (Salmos 91:11).

A proteção dos anjos certamente tornará a tarefa mais fácil. Os anjos não trabalham por nós apenas porque estamos vivos, tampouco trabalham por nós só porque acreditamos em Jesus como nosso salvador. Eles escutam a Palavra de Deus. Ao falarmos a palavra de Deus e caminharmos em obediência e serviço a Deus, os anjos nos ajudam e nos protegem de principados e potestades. Isso não quer dizer que nunca enfrentaremos problemas ou que nunca cometeremos erros, quer apenas dizer que devemos ser sérios a respeito de nosso modo de vida, de obediência a Deus, se quisermos as bênçãos e o poder de Deus em nossa vida.

Precisamos também calçar as sandálias da paz.

A guerra da paz

Quando surgem os problemas, nossa primeira tentação é ficarmos chateados, expressando as emoções que temos dentro de nós e começando a tentar fazer uma coisa aqui, outra ali, na esperança de encontrar algo que funcione e contorne a situação. Todos esses são comportamentos inaceitáveis para o crente que está trilhando a fé. Nenhum desses irá trazer a vitória. Jesus nos deu a paz. É nossa herança. O demônio regularmente tenta roubá-la, mas a paz é nossa, e devemos conservá-la (veja Êxodo 14:14).

ENTRAMOS NA PAZ DE DEUS QUANDO ACREDITAMOS EM SUA PALAVRA EM VEZ DE ACREDITAR EM NÓS MESMOS OU EM OUTRA PESSOA.

Como crentes, estamos sentados nos lugares celestiais em Cristo Jesus (Efésios 2:6). A palavra "sentado" refere-se a repouso, e as palavras "repouso" e "paz" equivalem-se. O livro de Hebreus nos ensina a entrar no repouso de Deus e cessar as durezas e misérias da lide humana (veja Hebreus 4:3-10,11). Essa paz está disponível para nós — e tem estado disponível desde que Jesus aqui veio, morreu por nós, foi ressuscitado dos mortos e ascendeu.

A paz está disponível, mas somos encorajados a nela "entrar". Entramos na paz de Deus quando acreditamos em sua Palavra em vez de acreditar em nós mesmos ou em outra pessoa. Combatemos a guerra espiritual mesmo quando em repouso. Paulo disse aos filipenses: "Sem de forma alguma [e em momento algum] deixar-se intimidar por aqueles que se opõem a vocês. Para eles isso [constância e coragem] é sinal [prova e selo] de [iminente] destruição, mas para vocês [é um sinal seguro e prova] de salvação, e isso da parte de Deus" (Filipenses 1:28).

A palavra *constância* aqui se refere a manter-se do mesmo jeito — estável e consistente. Nossa constância é um sinal para o inimigo de sua destruição iminente. Nosso repouso em paz e alegria durante o ataque do demônio literalmente o derrota. Ele não tem como lidar com crentes que sabem "manter sua paz". Nossa consistência é também um sinal externo de que confiamos em Deus, e que nossa confiança o move a nos proteger.

Beneficiamo-nos quando derrotamos o demônio, mas Jesus também se beneficia. Glorificamos a Deus quando operamos de acordo com sua Palavra. Ele pode assim nos abençoar com nossa herança. Falar sobre as promessas de Deus é encorajador, mas tomar posse delas é muito melhor. Lemos em Salmos 94:12,13: "Como é feliz [aben-çoado, de boa fortuna, invejável] o homem a quem disciplinas, Senhor, aquele a quem ensinas a tua lei; tranquilo, enfrentará os dias maus, enquanto que, para os ímpios, uma [inevitável] cova se abrirá."

O plano de Deus é operar em nossa vida para trazer-nos para o lugar onde ele possa manter-nos em repouso durante os períodos de adversidade. O profeta Isaías escreveu:

> Não tema, pois estou com você; não tenha medo, pois sou o seu Deus. Eu o fortalecerei e o ajudarei; eu o segurarei com a minha mão direita vitoriosa. Todos os que o odeiam certamente serão humilhados e constrangidos; aqueles que se opõem a você serão como nada e perecerão. Ainda que você procure os seus inimigos, você não os encontrará. Os que guerreiam contra você serão reduzidos a nada. Pois eu sou o Senhor, o seu Deus, que o segura pela mão direita e lhe diz: Não tema; eu o ajudarei. Não tenha medo, ó verme Jacó, ó pequeno Israel, pois eu mesmo o ajudarei, declara o Senhor, seu Redentor, o Santo de Israel. Veja, eu o tornarei um debulhador novo e cortante, com muitos dentes. Você debulhará os montes e os esmagará, e reduzirá as colinas a

> palha. Você irá peneirá-los, o vento os levará, e uma ventania os espalhará. Mas você se regozijará no Senhor e no Santo de Israel se gloriará. (Isaías 41:10-16)

Eis minha paráfrase desses versículos:

> Não tenha medo de nada. Não permita que nada o deixe triste. Não fique olhando em volta, não comece a se preocupar. Permaneça em paz, eu sou seu Deus. Eu o ajudarei. Eu o manterei. [Quando parece que vamos nos deixar cair, temos sua promessa de que ele nos erguerá!]
>
> Todos os que estão em discórdia com você, todos os que chegam a você com espírito de disputa e batalha, esses vão acabar em nada. Então mantenha sua paz. Quando você mantém sua paz, eu posso trabalhar porque fica claro que você confia em mim.
>
> Estou fazendo algo novo em você durante esse período de provações. Estou transformando-o em uma máquina de cortar nova, afiada, que vai cortar os inimigos. Sua recompensa será a glória e a alegria.

Na próxima vez em que alguém ou alguma coisa ameaçar roubar sua paz, não desista. Em vez disso, libere o poder de Deus ao manter-se em sua herança e confiando que ele tomará conta da situação para você.

A paz libera uma grande força espiritual

Se você está com dificuldades de enxergar a paz como uma guerra espiritual, eu compreendo. Nossa mente nos diz para lutar contra o demônio com fúria — não paz. Como pode a paz vencer uma guerra?

Pense em uma guerra natural por um minuto. O que põe um fim nela? Uma das partes, ou ambas, decide não mais brigar. Mesmo quando somente uma das partes decide não brigar, a outra vai ter no fim que desistir porque não mais tem alguém com quem brigar.

Meu marido costumava me deixar louca por não querer brigar comigo. Eu ficava irritada e incomodada, e queria que ele dissesse só uma palavrinha para eu despejar minha raiva. Mas quando Dave notava que eu só estava procurando um motivo para brigar, ele ficava calmo e me dizia: "Eu não vou brigar com você." Algumas vezes ele chegava a entrar no carro e partir por um tempo, o que me enfurecia ainda mais, mas eu não podia brigar com alguém que não quisesse brigar.

Se encaramos nossas batalhas em paz e respondemos às perturbações da vida com paz, nós vivenciaremos a vitória. Isso é o que Moisés disse aos israelitas quando encontraram o mar Vermelho a sua frente e o exército egípcio no seu encalço. Eles ficaram com medo, mas Moisés lhes dissera:

> Não tenham medo. Fiquem firmes [confiantes, intrépidos] e vejam o livramento que o Senhor lhes trará hoje, porque vocês nunca mais verão os egípcios que hoje veem. O Senhor lutará por vocês; tão-somente acalmem-se [mantenham-se em repouso] (Êxodo 14:13,14).

Perceba que Moisés disse aos israelitas para manterem a paz e ficarem em repouso. Por quê? Eles estavam em guerra, e era necessário que respondessem em paz a fim de vencer a batalha. Deus lutaria ao lado deles se demonstrassem sua confiança, permanecendo em paz.

Se você mantiver sua calma, ele fará o mesmo por você.

Deus lhe deu a paz. Você pode mantê-la, usá-la ou perdê-la. Afinal, ele deu a Adão o domínio de si, e Adão o entregou a Satanás, a quem nos referimos como o deus deste mundo. O Senhor Deus não criou Satanás para ser o deus deste mundo, então como foi que ele obteve esse título? Adão abriu mão do que Deus lhe tinha dado.

Não cometa o mesmo erro com o que Deus lhe deu por meio de Jesus Cristo. Lembre-se sempre de calçar as sandálias da paz quando for para a batalha (veja Efésios 6). Elas o levarão à guerra do amor, que também é a guerra espiritual.

A guerra do amor

Se amarmos agressivamente, o mal não vai nos dominar, ao contrário: iremos conquistar o mal. "Não se deixem vencer pelo mal, mas vençam o mal com o bem" (Romanos 12:21).

Se o amor responde quando a discórdia bate à porta, ela não pode entrar. Em vez disso, o bem supera o mal. A luz supera as trevas. A morte será completamente derrotada e engolida pela vida.

Pedro nos adverte: "Sobretudo, amem-se sinceramente uns aos outros, porque o amor perdoa muitíssimos pecados [perdoa e releva as ofensas dos outros]" (1 Pedro 4:8).

Podemos repelir o demônio — literalmente gritar com ele até secar nossa voz — mas ele não irá fugir da pessoa que pouco se importa com a obediência e o caminho do amor. O demônio traz ofensa, desarmonia e discórdia entre as pessoas, mas o antídoto para todo esse problema de envenenamento é o amor.

O demônio não sabe lidar com quem ama! Jesus estava sempre amando as pessoas e sendo bom para elas. Satanás não podia controlá-lo porque cristo caminhava na obediência e no amor. Então, se você está batalhando contra o demônio, faz bem em concentrar-se em caminhar no amor. Descobri que algumas vezes eu estava tão concentrada em derrotar o inimigo que não tinha tempo para ser boa para ninguém. Minha guerra com o inimigo estava me tornando amarga em vez de me tornar doce.

Satanás sabe que os cristãos que muito falam e pouco fazem são indefesos perante ele. Sua estratégia de guerra final é construir uma fortaleza de amor frio. Dessa forma ele pode manter a Igreja de Jesus Cristo impotente, porque a fé opera em parceria com o amor.

A fé é ativada, energizada e expressa por meio do amor, como vemos em Gálatas 5:6: "Porque [se estamos no amor] em Cristo Jesus nem circuncisão nem incircuncisão têm efeito algum, mas sim a fé que atua pelo amor." Muitos se consideram grandes na fé, mas, se você observar os frutos em suas vidas, verá que há pouco amor genuíno para se mostrar. Podem parecer poderosos, mas o poder espiritual verdadeiro é encontrado nas facetas e nos frutos do amor, porque o amor mata a discórdia antes mesmo que ela crie raízes.

As facetas do amor que matam a discórdia

Em 1Coríntios 13, o apóstolo Paulo descreve:

> "O amor é paciente, o amor é bondoso. Não inveja, não se vangloria [não é arrogante], não se orgulha. Não maltrata [não é rude], não procura seus interesses, não se ira facilmente, não guarda rancor. O amor [de Deus dentro de nós] não se alegra com a injustiça, mas se alegra com a verdade. Tudo sofre, tudo crê, tudo espera, tudo suporta. O amor nunca perece [não se esvai, nem se torna obsoleto nem chega ao fim]; mas as profecias desaparecerão, as línguas cessarão, o conhecimento passará."

O amor é um diamante reluzente de muitas facetas, dentre as quais:

- Paciência
- Bondade
- Generosidade
- Humildade

- Cortesia
- Altruísmo
- Temperamento afável
- Inocência
- Sinceridade

Vamos examinar cada uma dessas facetas e observar como podem manter a discórdia afastada.

Paciência

"O amor é paciente" (1Coríntios 13:4). Quando as pessoas exibem impaciência umas com as outras ou consigo mesmas, permitem que a discórdia entre em seus relacionamentos. Quando amamos vigorosamente, somos pacientes uns com os outros e somos capazes de conviver em paz.

Bondade

"O amor é bondoso" (1Coríntios 13:4). A discórdia vive espreitando uma brecha por onde se esgueirar. Quando somos rudes com alguém, particularmente com alguém que está em dificuldades, nós suscitamos a ira. No entanto, a bondade age como cura. A bondade manterá a discórdia longe. "Ao servo do Senhor não convém brigar mas, sim, ser amável para com todos, apto para ensinar, paciente" (2Timóteo 2:24).

Generosidade

"Não inveja, não se vangloria [não é arrogante], não se orgulha" (1Coríntios 13:4). A inveja e o ciúme são portas abertas para a discórdia. Quando você for tentado pela inveja, responda com generosidade, e o mal será engolido pelo bem.

Por vezes, o espírito da inveja tem me atacado sem descanso no que diz respeito ao ministério de outros. Eu não desejo ser invejosa; odeio o sentimento de inveja e ciúme. Descobri que a melhor maneira de combater a inveja é com a generosidade. Em vez de entrar no jogo do demônio e ter ressentimento em relação a uma pessoa pelo que ela tem ou é, eu frequentemente doo a esse indivíduo para que seu ministério possa crescer ainda mais. Talvez não me sinta generosa, mas descobri que a generosidade trabalha para manter a inveja distante.

Humildade

O amor "não se vangloria (não é arrogante), não se orgulha" (1Coríntios 13:4,5). Se em você falta humildade — se você acha que é mais importante que as outras pessoas —, sua vida será cheia de conflito e de discórdia. A humildade é um pré-requisito. Se você quer viver em paz e harmonia com os outros, seja humilde. O orgulho precede a destruição (Provérbios 16:18), mas, se você for humilde, Deus irá exaltá-lo. Muitos relacionamentos foram destruídos por um espírito de discórdia somente porque nenhuma das partes demonstrou humildade e disposição para esperar o momento de exaltação de Deus.

Cortesia

O amor "não maltrata [não é rude]" (1Coríntios 13:5). É incrível como as palavras *por favor* e *obrigado* podem suavizar uma ordem. Os que detêm a autoridade, em posição de emitir ordens e diretrizes, poderiam evitar um bocado de rebelião ao usar bons modos.

Fui ungida para a liderança e tenho tido a habilidade de liderar inerente a meu temperamento. Sou direta e objetiva. Como uma pessoa "pão pão, queijo queijo", eu elimino os rodeios e entro logo no assunto principal. Essa é uma boa qualidade, mas pode também ser abrasiva se não for temperada com a cortesia. Posso ser uma líder nata, mas não preciso ser mandona — há uma grande diferença aí.

Para que os relacionamentos permaneçam harmoniosos, precisamos usar de cortesia. Temos que nos engajar nas coisas agradáveis da vida. Elas podem não ser vitais, mas é sábio usá-las porque podem evitar tensões e rebeliões. Eu sou a líder, e posso simplesmente dar ordens a torto e a direito. Quem quer trabalhar para mim precisa fazer o que peço. Porém, se me dou ao trabalho de ser gentil, meus liderados irão *querer* trabalhar para nosso ministério por um longo tempo.

A cortesia também é vital em nossos relacionamentos com nossa família e amigos. Descobri que temos uma tendência a tomar liberdades com os que nos são mais íntimos, liberdades que não tomaríamos com alguém que nos é totalmente estranho. Lembro-me do Espírito Santo corrigindo-me anos atrás pelo modo rude com que eu falava ao meu marido, dizendo: "Joyce, se você fosse tão cortês com seu marido quanto você é com seu pastor, seu casamento estaria bem melhor." Um bocado de discórdia pode ser evitado por simples atitudes corteses. Recomendo vivamente que você se esforce por ser mais cortês com sua família e amigos mais íntimos.

Altruísmo

O amor "não procura seus interesses" (1Coríntios 13:5).

Jesus é amor, e se pretendemos seguir seu modo de vida, isso vai demandar o desenvolvimento de uma natureza altruísta. Ele disse a seus discípulos (e a nós): "Se alguém quiser acompanhar-me, negue-se a si mesmo [esqueça, ignore, desconsidere e perca de vista seu ego e seus próprios interesses], tome a sua cruz e siga-me" (Marcos 8:34). Já que Cristo está em nós, a semente para essa natureza já está em nós, mas devemos escolher desenvolvê-la. Deus plantou sua semente em nós, mas temos que regá-la e cuidar adequadamente para que ela cresça e passe para o estágio seguinte: produzir frutos. Abrir mão de si mesmo não é uma tarefa fácil. A carne se recusa a morrer e luta sem descanso.

A discórdia era uma visita constante em nosso lar quando eu vivia no egoísmo. O egoísmo é o chão fértil para a discórdia. Ao longo dos anos, a medida que Deus lidava comigo, tornei-me menos egoísta, minha vida e relacionamentos tornaram-se muito mais harmoniosos. A discórdia perdeu seu berço.

Autocontrole

O amor "não se ira facilmente, não guarda rancor" (1Coríntios 13:5). É tardio para irar-se (Tiago 1:19). O antídoto para um pavio curto é o autocontrole, que é o fruto do Espírito (veja Gálatas 5:22,23).

JÁ QUE CRISTO ESTÁ EM NÓS, A SEMENTE PARA ESSA NATUREZA JÁ ESTÁ EM NÓS, MAS DEVEMOS ESCOLHER DESENVOLVÊ-LA.

Se você luta contra seu temperamento irritadiço, peça a Deus para revelar a raiz do seu problema. Talvez você tenha sofrido abuso no passado, e você por isso tenha alguma raiva reprimida com a qual precisa aprender a lidar. Ou talvez seja orgulhoso e precise de humildade. O orgulho é muitas vezes a raiz de um temperamento irritadiço.

Minhas filhas tinham problemas com a raiva e finalmente viram que ela estava enraizada no perfeccionismo. Aprendi que usar o autocontrole para controlar a emoção da raiva é muito mais fácil do que tentar lidar com as consequências da minha falta de paciência. Odeio a discórdia e seus efeitos nas pessoas. Um bom temperamento bate a porta na cara da discórdia.

Inocência

O amor "tudo crê, tudo espera, tudo suporta" (1Coríntios 13:5). Precisamos guardar nossos pensamentos, porque eles têm o poder de produzir o bem e o mal em nossa vida. Cada um de nós tem tanto a mente da carne quanto a mente do Espírito, como nos diz Romanos 8:6, mas devemos escolher a mente do espírito, que produz vida e paz.

O amor é bom e espera o melhor de cada pessoa. Como é possível esperar o melhor das pessoas que nos têm desapontado repetidamente? O amor esquece o passado e lida com cada questão de uma forma nova, fresca. Oh, como seria glorioso ser totalmente inocente. Imagine a paz interior da pessoa que nunca teve um pensamento maldoso. Você pode estar se perguntando: "Isso parece ótimo na teoria, mas será mesmo possível?" Eu não sei se algum dia irei atingir a perfeição, mas estou determinada a seguir nessa direção. Pensar em amor derrota a discórdia.

Sinceridade

"O amor deve ser sincero. Odeiem o que é mau; apeguem-se ao que é bom" (Romanos 12:9). O amor é sincero. Não é apenas uma conversa ou uma teoria, mas é visto em ação. O amor atende às necessidades. O amor é genuíno e tem o desejo de realmente ajudar os outros.

O amor libera grande força espiritual

Antes de listar as facetas e os frutos do amor, Paulo nos diz:

> Ainda que eu fale a língua dos homens e [mesmo a] dos anjos, se não tiver amor [a devoção intencional, espiritual como o inspirado pelo Amor de Deus por e em nós], serei como o sino que ressoa ou como o prato que retine.
>
> Ainda que eu tenha o dom de profecia [o dom de interpretar os desígnios divinos e seu propósito] e saiba todos os

> mistérios e todo o conhecimento, e tenha uma fé capaz de mover montanhas, se não tiver amor [de Deus em mim], nada serei. Ainda que eu dê aos pobres tudo o que possuo e entregue o meu corpo para ser queimado, se não tiver amor [de Deus em mim], nada disso me valerá. (1Coríntios 13:1-3).

Segundo o que diz esse trecho, se não caminharmos no amor, todos os nossos esforços para servir a Deus e demonstrar seu poder serão infrutíferos. O amor é o maior poder no mundo. Ele faz a vida valer a pena. Ele nos libera da lei. "Assim, permanecem agora estes três: a fé, a esperança e o amor. O maior deles, porém, é o amor" (1Coríntios 13:13). Paulo nos instrui que o amor é "um caminho ainda mais excelente" para viver (1Coríntios 12:31). Ele orou: "Que o amor de vocês aumente cada vez mais em conhecimento e em toda a percepção" (Filipenses 1:9). Sem amor, nada nos valerá (1Coríntios 13:3).

Se amarmos progressivamente, iremos resistir sempre à discórdia. Satanás sabe disso, por isso quer impedir que caminhemos no amor. Ele sabe que se nós desenvolvermos nosso caminho no amor, seremos perigosos para o reino das trevas. É bem fácil, dada a natureza da carne, tornarmo-nos egoístas e autocentrados. Mas com a ajuda de Deus e um coração disposto, podemos desfrutar de relacionamentos harmoniosos e sem conflitos, manifestando o verdadeiro espírito do amor.

Tenha uma "santa determinação"

A discórdia chega como uma tempestade arrasadora e deixa destruição em todo lugar em que se permite sua entrada. Mas você pode derrotá-la ao persistir no que é bom. Ancore-se à importância da paz e do amor. Eles são essenciais para uma vida de vitória, força e bênção. Se você quiser experimentar isso, deixe uma santa determinação brotar de você para manter sua paz e seu amor vigorosamente — e então se recoste e veja o que Deus fará em você e por meio de você.

Resumo e reflexão

A guerra espiritual para derrotar o demônio pode ser conquistada com armas poderosas das quais pouco ouvimos falar, como a obediência, a paz e o amor.

1. A Bíblia diz: "Submetam-se a Deus. Resistam ao Diabo, e ele fugirá de vocês" (Tiago 4:7). Por que você acha que submeter-se a Deus é tão importante quanto resistir ao diabo?
2. Você já sofreu um ataque de um indivíduo para destruir seu caráter, posição ou reputação? Apoie-se em Mateus 5:44 e Lucas 6:27 para descrever qual seria sua resposta bíblica.
3. Faça uma paráfrase de Isaías 4:10-16, usando suas próprias palavras para descrever a promessa que recebemos de Deus: paz durante as tormentas da vida.
4. Os princípios do cristianismo são muitas vezes paradoxais, parecem estar de cabeça para baixo. Usando os seguintes versículos, escreva sobre os eventos em sua vida que ilustram a falta da prática desses princípios.
5. **Mateus 18:4**
6. **Mateus 19:21**
7. **Mateus 19:30**

8. **Mateus 23:12**
9. **Tiago 4:6**
10. **Pedro 5:6**
11. 5. Faça uma paráfrase de 1Coríntios 13:1-8.
12. 6. Pense em uma ocasião em que você esteve em conflito com outra pessoa. Como você poderia ter usado o amor como uma arma espiritual para derrotar as estratégias de Satanás nessa situação?

Querido Senhor, dá-me a graça de responder às batalhas em minha vida com obediência, paz e amor. Submeto a ti minha vida, sabendo que meu futuro está em tuas mãos. Submeto a ti minhas futuras batalhas antes mesmo que ocorram, e peço-te que me faça triunfar por meio do poder de tua paz e teu amor. Ajuda-me a caminhar no altruísmo, na generosidade e na boa vontade para com o próximo. Quando meu coração for pequeno, que possa crescer em teu amor. Amém.

CAPÍTULO TREZE

Avance para a mudança — não lute com ela

À MEDIDA QUE OS MINISTÉRIOS Joyce Meyer cresciam, tivemos que repensar nossa estrutura. Antes, podíamos cumprir nossas tarefas com apenas cinco empregados; agora, isso não funcionava mais. Nosso ministério havia se expandido, assim como a quantidade de tarefas necessária para que o trabalho fosse bem feito.

Nossa jornada de trabalho costumava ser de 8 da manhã às 4 e meia da tarde, com trinta minutos para o almoço. No entanto, quando passamos para a televisão, quisemos manter o escritório aberto o maior tempo possível para que as pessoas pudessem encomendar fitas, então modificamos nosso horário de trabalho e aumentamos o horário do almoço. Nenhum de nossos funcionários reclamou, mas tenho certeza de que alguns deles gostaram, outros não.

Essa é somente uma das muitas mudanças pelas quais o pessoal do nosso ministério teve de passar. É impossível passar pela vida e não experimentá-las em grande número. Todos nós temos preferências pessoais, então algumas mudanças funcionam melhor para nós do que outras. De algumas mudanças nós gostamos e aceitamos de imediato, de outras nós desgostamos e algumas as vezes resistimos.

Já que a mudança é inevitável, precisamos compreender como ela nos afeta para que avancemos nelas e não lutemos contra, abrindo a porta para a discórdia. Quando abraçamos a mudança, em vez de resistir a ela, nos inclinamos a continuar a viver em harmonia com os outros, liberando dessa maneira o fluxo da força de Deus e as bênçãos em nossa vida.

Compreendendo como a mudança nos afeta

Quando as pessoas se mudam, trocam de emprego, perdem amizades antigas ou fazem novas amizades — e milhares de outros tipos de mudanças — estão sob certa pressão. Mudança significa lidar com o desconhecido. Queremos que tudo em nossa vida esteja alinhado e queremos saber o que está acontecendo exatamente a cada passo do caminho. Mudanças trazem o novo, e isso pode ser tanto ameaçador como exaustivo. A mudança sempre requer mais da nossa atenção.

Por exemplo, quando estamos desenvolvendo novos relacionamentos, devemos aprender como o outro reage em cada situação. Do que gosta, do que não gosta? O que é aceitável dizer e o que não é? Será que ele se ofenderá com nossas brincadeiras?

Conhecer pessoas demanda muito mais de nossa energia que estar na companhia de um bom amigo que conhecemos há muito tempo. O estresse que isso causa pode queimar nosso pavio em outras áreas.

De fato, qualquer tipo de mudança pode trazer estresse à nossa vida, o que pode nos deixar irritáveis e tensos. Algumas mulheres, por exemplo, são difíceis de se conviver quando estão em seu ciclo mensal. Por quê? Porque seus corpos estão mudando e elas se sentem diferentes. Se elas não repousarem e evitarem situações potencialmente estressantes, estarão mais vulneráveis ao conflito nessa época. Em alguns dias, poderão lidar maravilhosamente bem com algo com que não podiam lidar de modo algum durante o período de suas mudanças físicas.

O mesmo é verdade para mulheres na menopausa. Elas veem seus corpos se transformarem, às vezes passando por mudanças drásticas. Muitas mulheres de meia-idade descobrem que seus corpos não conseguem se recompor como antes. Essas mudanças físicas afetam algumas mais que a outras, entretanto, para muitas, é uma época que pode abrir portas para a discórdia nos relacionamentos.

Se o nível de paciência de uma mulher está baixo e o nível de ruído em seu lar está alto, ela pode ficar com raiva. Aquilo com que ela se satisfazia anteriormente pode tornar-se inaceitável de uma hora para a outra. Se seu marido não lhe dá a atenção de que necessita, ela pode se magoar mais facilmente, e assim se retirar e agir de modo com que sua família não está acostumada. Sua necessidade de afeto sem sexo pode aumentar durante esse período. Ela quer ser abraçada, mas nada mais que isso.

A fim de evitar o conflito durante essa mudança tão estressante, é útil para a mulher lembrar-se de que seu marido não pode ler sua mente. Ela precisa lembrar-se de que está mudando, mas que sua família é a mesma de sempre. Os membros da família não se sentem do mesmo modo e não se deve esperar deles que a compreendam sem serem informados.

MUDAR SIGNIFICA LIDAR COM O DESCONHECIDO.

Quando passei pela menopausa, foi-me útil dizer a mim mesma: "Joyce, você está sentindo essas mudanças, mas tudo vai ficar bem." Converse consigo às vezes, uma conversa de coração para coração. Não permita que essas transformações causem perplexidade a ponto de atrair discórdia.

Algumas pessoas têm dificuldades extras quando sua igreja ou organização passa por algum tipo de mudança. Talvez o pastor ache que Deus está conduzindo sua igreja para um programa de apoio em missões estrangeiras. Alguns membros da congregação podem achar isso ótimo, enquanto outros acreditam que um programa de apoio na própria cidade seria mais apropriado. Quando não conseguimos notar que muitos de nossos sentimentos são baseados em opiniões e preferências pessoais, podemos abrir rapidamente a porta para a discórdia ao vocalizar nosso desacordo. É um engano assumir que um líder não está seguindo a vontade de Deus somente porque você não concorda com uma proposta nova. Isso pode causar muito conflito e incrível destruição em uma igreja.

Sempre que você estiver enfrentando mudanças de qualquer tipo, lembre-se de que o demônio irá tentar tirar vantagem de você. Ele quer pegá-lo de guarda baixa para que você o deixe entrar sem se dar conta do que está acontecendo.

É por isso que, se em seu local de trabalho, na igreja ou em qualquer outra organização na qual você esteja envolvido houver alguma mudança que o desagrade, a coisa mais inteligente a fazer é deixar passar um tempo para verificar de fato como a mudança afetará você. Dê uma chance para tudo se assentar. Se, após um período de espera, você ainda se sentir do mesmo modo, aborde as pessoas responsáveis pela mudança. Após compreender o contexto e a razão da mudança, sua percepção poderá mudar.

Se você já fez isso e descobriu que não consegue ficar feliz com a mudança, pense em sair, mas sair em paz. Não fofoque ou reclame com os outros. Não saia achando que todos os outros estão errados. O que eles estão fazendo pode ser certo para seus negócios, igreja ou organização, mas não para você. Temos que dar uns aos outros a liberdade, não o julgamento. O apóstolo Paulo escreveu:

> Um crê que [por sua fé] pode comer de tudo; já outro, cuja fé é fraca, come apenas alimentos vegetais. Aquele que come de tudo não deve desprezar o que não come, e aquele

> que não come de tudo não deve condenar aquele que come, pois Deus o aceitou.
>
> Quem é você para julgar o servo alheio? É para o seu senhor que ele está em pé ou cai. E ficará em pé, pois o Senhor é capaz de sustentá-lo. Há quem considere um dia mais sagrado que outro; há quem considere iguais todos os dias. Cada um deve estar plenamente convicto (satisfeito) em sua própria mente. (Romanos 14:2-5).

Outro tipo de mudança que pode abrir as portas para a discórdia ocorre durante aqueles momentos em que Deus está lidando conosco. Quando Deus está lidando conosco no interior, ele tem a intenção de trazer mudanças externas. Essas mudanças são projetadas para trazer o progresso, e Satanás sempre luta contra o progresso.

Será que Satanás estaria tentando destruir uma mudança que Deus quer fazer *em* você?

Deus nos modifica em graus cada vez maiores de glória. Sua meta é tornar-nos mais parecidos com ele mesmo: "E todos nós, que com a face descoberta [porque] contemplamos a glória do Senhor, segundo a sua imagem estamos sendo transformados com glória cada vez maior, a qual vem do Senhor, que é o Espírito" (2Coríntios 3:18).

Para atingir essa meta, Deus algumas vezes nos disciplina para nosso próprio bem. No entanto, quando a disciplina está sendo implementada, não é nada divertido. Hebreus 12:11 nos conta:

> "Nenhuma disciplina parece ser motivo de alegria no momento, mas sim de tristeza. Mais tarde, porém, produz fruto de justiça e paz para aqueles que por ela foram exercitados [uma colheita de frutos que consiste na retidão — em conformidade com o objetivo, pensamento e ação de Deus, resultando em uma vida reta e em conformidade com os padrões de Deus].

A disciplina de Deus nos modifica e nos torna mais parecidos com Jesus em nossos pensamentos, palavras e ações. Seu plano é trazer-nos em um novo reino de glória, o que Satanás não quer. Assim, o demônio se oporá a nós persistentemente se estivermos indo em frente. Ele se delicia em nos distrair e impedir que nos aproximemos de Deus.

Muitas vezes, ao longo dos anos, senti que Deus me falava sobre mudanças que precisavam acontecer dentro do meu ministério para que passasse para o próximo nível. No entanto, eu sei que mudar costuma ser muito difícil. Por eu amar as pessoas e não querer magoá-las ou desapontá-las, algumas vezes achei difícil obedecer a Deus nessa área.

É um desafio comunicar a pessoas muito esforçadas que a posição em que estão se tornou maior que elas e que precisamos fazer uma mudança. Às vezes, essas pessoas têm feito um ótimo trabalho por muitos anos; são fáceis de se conviver e são muito comprometidas com seu trabalho, mas alcançaram seu limite. Se eu não fizer as alterações que Deus está pedindo, o limite delas irá impor um limite para o ministério e impedir nosso crescimento. Já que o crescimento do ministério significa uma oportunidade para alcançar mais pessoas para Jesus, minha decisão não pode ser baseada no que parece mais fácil para mim ou nos sentimentos dessas pessoas.

Aprendi por experiência que, se eu não obedeço a Deus para não magoar as pessoas, eu geralmente as magoo mais ainda, no longo prazo. Se Deus está me pedindo para fazer uma mudança, então ele também tem algo novo para elas — algo de que elas vão gostar ainda mais do que o que fazem para nós. O medo da mudança impede o progresso de uma porção de gente, e leva à desobediência.

Como devemos responder aos períodos de disciplina e mudança (períodos em que Deus nos está modificando)? Os versículos seguintes nos oferecem uma resposta: "Suportem as dificuldades, recebendo-as como disciplina; Deus os trata como filhos. Ora, qual o filho que não é disciplinado por seu pai? [...]

Portanto, fortaleçam as mãos enfraquecidas e os joelhos vacilantes. Façam caminhos retos para os seus pés [sim, façam-nos sãos e retos, trilhas felizes que vão na direção certa], para que o manco não se desvie, antes, seja curado" (Hebreus 12:7,12,13).

Uma nota de pé de página ao décimo terceiro versículo na tradução Worrell do Novo Testamento diz o seguinte: "Faça caminhos retos para seus pés; escolha a Palavra de Deus para ser uma 'lanterna para seus pés, e uma luz para seu caminho' (Salmos 119:105), não somente para seu bem e para a glória de Deus, mas também por respeito aos outros, que serão auxiliados ou feridos por seu exemplo."

A disciplina de Deus pode ser desconfortável e dolorosa. É por isso que nos dizem para "submetermo-nos" e para "suportar" sua disciplina em nossa vida. Devemos "escolher as Palavras de Deus para ser uma lanterna para nossos pés e uma luz para nosso caminho". As instruções prosseguem no versículo 14, no qual se diz que devemos nos esforçar para "viver em paz com todos e para sermos santos; sem santidade ninguém verá o Senhor". Devemos avançar e perseguir a santidade ao permitir que Deus opere em nós enquanto batalhamos para viver em paz com todo mundo.

Como podemos conseguir isso? Como podemos "lutar para viver em paz" durante esses momentos estressantes em nossa vida, quando estamos em guerra conosco porque Deus está tentando efetuar alguma mudança em nós?

1. *Deixe que os outros saibam que Deus está trabalhando em você.* Quando Deus está trabalhando em nós, nem sempre compreendemos o que ele está fazendo e o porquê. Ficamos confusos por não conseguir ver sentido em tudo o que sentimos, e isso pode ser uma fonte de conflito com aqueles que estão próximos a nós, se não tomarmos precauções. Por essa razão, Dave e eu aprendemos a contar um ao outro quando acreditamos que Deus está traba-

lhando de modo especial em nosso interior. Podemos dizer: "Deus está trabalhando em mim. Eu não sei ainda como, mas sei que alguma coisa está se passando dentro de mim. Então, se eu estiver agindo um pouco diferente ou parecer mais quieta, essa é a razão."

Antes de revelarmos as mudanças que Deus estava tentando efetuar em nós, essas eram muitas vezes ocasiões para a discórdia entre nós. Se eu estivesse me comportando de modo diferente, e Dave não compreendesse por que eu não tinha pensado em contar, ele ficava em silêncio. Então eu acabava achando que havia algo errado com ele e ficava mais injuriada ainda porque pensava que já tinha o bastante com o que me preocupar para que ele agisse de modo estranho comigo.

2. *Pratique o autocontrole.* Outra coisa que aprendi é que eu não tenho o direito de demonstrar todos os meus sentimentos. Se Deus está trabalhando em mim, devo permitir que ele o faça sem tornar-me melodramática e fazer mais da situação do que ela realmente é.

   Podemos aprender a atravessar as mudanças que Deus traz a nossa vida sem passar nossas frustrações para o próximo. Podemos, e devemos, aprender a suportar o bom fruto do Espírito Santo durante os períodos de mudança.

Algumas vezes a mudança que Deus quer que façamos tem a ver com o que ele quer conquistar por nosso intermédio.

Será que Satanás está tentando criar um obstáculo para algo novo que Deus quer conquistar por seu intermédio?

Durante meus anos de ministério, descobri que o Espírito Santo algumas vezes me mostra as coisas no horizonte a minha frente para que eu possa ir me preparando naquela área. Acredito que estamos nos aproximando de um período no Corpo de Cristo quando veremos um grande número de curas físicas. Tive confirmação disso por outra pessoa no ministério que também sente que Deus está conduzindo nessa direção. Já que eu podia, nessa ocasião, enxergar o que estava à frente, eu sabia que precisava começar a estudar, orar e a buscar Deus na área de cura dos enfermos. A preparação é vital para uma pessoa ser empregada por Deus.

Ouvi o que Deus dizia sobre como ele queria que eu procedesse, e assim comecei. Em 24 horas, fui desviada de meus estudos porque tive que lidar com três funcionários distintos que precisaram subitamente de uma séria reprimenda. Não quero com isso afirmar que esses funcionários fossem "más pessoas". O que quero dizer é que o demônio suscita qualquer coisa que puder para nos distrair quando Deus está tentando fazer algo em nós ou por nosso intermédio. Satanás usa a discórdia para impedir nosso progresso. Ele tenta operar por qualquer fraqueza que a pessoa tenha (e todos nós temos alguma) quando estamos próximos a passar para uma nova glória em nossa vida.

Os três funcionários são pessoas preciosas que nutrem mágoas e feridas em seus passados, e que estão no processo de cura. Estamos tentando ajudá-los, e, ao fazer isso, devemos lidar com certas questões de vez em quando. Eles foram feridos emocionalmente, e de vez em quando, suas emoções atropelam-se. O inimigo sabe que pode apertar o botão apropriado e agitar suas emoções. Com o tempo essa fraqueza será controlada pelo Espírito Santo e se tornará um ponto forte para essas pessoas. Mas, agora, ela é uma área que Satanás pode usar se eles não se derem conta dessa manipulação ardilosa. Já que eles trabalham para nós, quando o demônio as agita, eu é que tenho de acabar lidando com isso.

No começo, eu não me dava conta do que estava acontecendo, o que exatamente Satanás quer. Quando ele consegue esconder de nós a verdade, ele está no controle e não sabemos exatamente o que está se passando por baixo dos panos. Porém, quando todos os três indivíduos "coincidiram" de ter um problema no mesmo dia, ficou óbvio para mim que forças "ocultas" estavam em operação.

Então, ainda nesse período de 24 horas, surgiu uma questão sobre nossos filhos, em que Dave e eu tínhamos uma diferença de opinião. Todos os pais têm que lidar com essa situação, vez por outra. Eu tinha uma convicção, Dave tinha outra. Não era um problema de longo prazo, mas, a cada vez em que surgia, eu tinha que acalmar minhas emoções e lembrar que Dave era o cabeça de nosso lar. Quando ele e eu discordamos, eu posso dizer o que sinto de uma maneira respeitosa, mas no fim preciso deixar a decisão final com ele, e ficar em paz. Apesar de saber o que eu devo fazer, isso ainda requer bastante atenção da minha parte.

Acredito que Satanás deu um jeito de aparecer nesse momento preciso em que ele sabia que podia me aborrecer e incitar momentos de tensão e conflito entre mim e Dave. O demônio certamente não quer que eu progrida em um ministério de cura. Ele não quer que eu estude e receba novas revelações. Ele não quer que eu ajude mais pessoas e que veja seus sofrimentos aliviados. Ele luta contra a igreja e seu progresso em muitas áreas, mas, como venho dizendo ao longo deste livro, uma de suas armas prediletas é a dissensão. Cometemos o erro de pensar que as pessoas são os problemas, quando nosso inimigo verdadeiro é o espírito de discórdia.

Não é de se admirar que em Mateus 26:41 esteja escrito que devemos "vigiar e orar". Devemos tanto nos vigiar quanto vigiar o inimigo, que está sempre tentando operar por meio de outras pessoas e circunstâncias para impedir nosso progresso e bloquear o fluxo das bênçãos de Deus e seu poder em nossa vida. Devemos nos resguardar e assim impedir que Satanás use nossos próprios problemas como forma de criar obstáculos para o trabalho do Senhor na vida de outra pessoa.

O que eu deveria fazer em cada uma dessas quatro situações? A resposta pode fornecer alguns princípios para saber como resistir à discórdia, para que Satanás não crie obstáculos para uma novidade que Deus pode estar tentando trazer por meio de sua vida.

1. *Avance, certifique-se de seguir as orientações de Deus.* Era minha a responsabilidade de lidar com o problema, mas era também importante que eu mantivesse o avanço em meus estudos referentes à cura dos enfermos.
2. *Lide com o problema, mas não ceda à tentação de ficar contrariado ou injuriado.* Eu precisava lidar com cada pessoa ao modo de Deus, sem me permitir irritação ou mau humor.

   Às vezes, fico bem irritada com problemas assim. Dave sempre me diz que, se em vez de permanecer irritada, eu usasse esse mesmo tempo para encarar a situação, tudo já estaria resolvido e acabado. Ele tem razão, é claro, mas eu tive que aprender isso.

   Sei agora que quem lida muito com pessoas terá sempre problemas para resolver. Isso não quer dizer que as pessoas sejam más; a vida é assim mesmo. Deus quer que caminhemos no amor e que auxiliemos uns aos outros, edificando e fortalecendo uns aos outros e promovendo o progresso uns dos outros.
3. *Confie em Deus para inspirar você sobre o que falar.* Satanás quer a discórdia, a discussão, o julgamento, a ofensa e a fraqueza. Ele sabe que pode minar a força de qualquer grupo ao trazer a divisão. Precisamos orar e confiar em Deus para conduzir-nos a dizer as coisas certas. Não precisamos passar o dia e a noite "ensaiando" o que dizer. Satanás quer encher nossa mente só com pensamentos inúteis.

> Pense nisso. Quantas vezes você já perdeu horas ensaiando suas palavras para alguém que precisava ser confrontado, e, mesmo assim, quando a ocasião chegou, você não disse nada do que treinou? Todo aquele "tempo mental" foi desperdiçado. Era muito melhor ter passado esse mesmo tempo meditando sobre a palavra de Deus ou pensando sobre a bondade de Deus.
>
> Se confiarmos em Deus, ele nos guiará no que teremos que dizer no momento certo. Eu devo pensar bastante no que eu digo para estar preparada, mas sair do equilíbrio permite que o demônio desperdice meu tempo e impede meu progresso.

Da próxima vez que você estiver passando por algum tipo de mudança, lembre-se de que o demônio verá esse período de estresse maior em nossa vida como uma oportunidade para suscitar problemas e como um potencial para o conflito. Esteja alerta. As épocas de mudança são sempre difíceis, mas elas nos conduzem a novos reinos de glória.

Se Deus está tentando operar alguma mudança em você, conte o que está se passando às pessoas em sua vida que serão afetadas, mas siga com o que você tem a fazer e deixe Deus agir. Permita que ele opere em você. Observe e ore, e seja esperto em relação às estratégias e engodos do inimigo.

Resumo e reflexão

Mudanças no lar, no trabalho ou na igreja podem produzir enorme estresse, o que nos deixa mais vulneráveis à discórdia. Precisamos estar alertas durante tais períodos e prosseguir, confiando a Deus a situação para que seu poder e suas bênçãos possam fluir sem obstáculos para nossa vida.

1. Você passou por alguma mudança recente, ou está passando, que seja difícil de se lidar? Sua oposição a certas mudanças é baseada em suas próprias opiniões ou na Palavra de Deus? Explique.
2. Você deu tempo às mudanças para verificar se elas funcionarão para você?
3. Você está disposto a falar com os líderes sobre seus sentimentos em vez de compartilhá-los com todo mundo? Como você pode abordá-los de um modo a garantir a paz?
4. Se você já não pode ficar feliz com a situação por conta das mudanças que ocorreram, você ama as pessoas e a organização o suficiente para permitir-se partir, em vez de causar discórdia?
5. Descreva uma ocasião em que Deus estava tentando trazer uma mudança em você ou por meio de você e como você "sofreu em silêncio" ou passou sua frustração para os outros.
6. Como é que você vai prosseguir pelas próximas mudanças, daqui em diante?

Senhor, entrego a ti minha vida em todas as suas estações e situações de mudança — o passado, o presente e o futuro. Impede que as mudanças me causem discórdia. Ajuda-me a aproximar-me de ti durante as épocas de mudança. Deixa-me sentir tua força, teu poder e tua paz durante tais períodos. E, Senhor, quando eu precisar de uma ajuda extra para me manter calmo e em paz, por favor ajuda-me a manter-me próximo a teu coração. Em nome de Jesus, amém.

CAPÍTULO QUATORZE

Proteja a unção

HÁ MUITOS ANOS, SENTI-ME LEVADA a ensinar sobre o tema da paz. Passei um dia inteiro sentada na cama, estudando. Senti como se estivesse procurando por alguma coisa relacionada ao assunto, ainda que não soubesse o que era. Pesquisei as Escrituras, esperando que a luz da revelação caísse sobre mim, e me deparei com esse trecho:

> Depois disso o Senhor designou outros setenta e dois e os enviou dois a dois, adiante dele, a todas as cidades e lugares para onde ele estava prestes a ir. E lhes disse: "A colheita é grande, mas os trabalhadores são poucos. Portanto, peçam ao Senhor da colheita que mande trabalhadores para a sua colheita. Vão! Eu os estou enviando como cordeiros entre lobos".
>
> Não levem bolsa nem saco de viagem, nem [trocas de] sandálias; e não saúdem ninguém pelo caminho [assim retardando sua jornada]. Quando entrarem numa casa, digam primeiro: "Paz a esta casa [que a liberdade de todas as perturbações resultantes do pecado esteja entre essa família]."

> Se houver ali um homem [merecedor] de paz, a paz de vocês repousará sobre ele; se não, ela voltará para vocês. Fiquem naquela casa, e comam e bebam o que lhes derem, pois o trabalhador merece o seu salário. Não fiquem mudando de casa em casa (Lucas 10:1-7).

Ao ler, vi algo que antes não havia notado nesses versículos. Senti que o Senhor estava me mostrando que a paz e o poder andam juntos. Ao enviar os discípulos para curar os enfermos e proclamar o Reino de Deus, Jesus lhes disse que encontrassem um lugar pacífico para residir e permanecer. Disse-lhes que eles precisavam de uma "base de operações" que fosse pacífica. Senti que o Espírito Santo me dizia: "Joyce, se você quer ter um ministério poderoso que vai ajudar multidões, encontre a paz e fixe-se nela."

Naquela época, eu não era lá muito pacífica. Ainda tinha bastante turbulência interior, e ainda causava bastante distúrbio em meus relacionamentos com os outros. Não havia aprendido a importância de uma vida livre de conflitos. O Espírito mostrou-me que, assim como dissera aos discípulos para encontrar um lugar pacífico para sua base de operações, eu devia ser sua casa — sua base de operações — e ele queria que a casa na qual estava trabalhando fosse pacífica.

Eu queria ministrar sob uma forte unção, e vinha orando a esse respeito seguidamente. Deus estava respondendo minha oração ao mostrar-me que eu precisava permitir que a unção fluísse.

Por que a paz e o poder caminham juntos

A unção de Deus sempre está presente naquele que crê. O apóstolo João escreveu em sua epístola:

> Mas vocês têm uma unção que procede do Santo, e todos vocês têm conhecimento [da verdade] e vocês conhecem todas as coisas. [...] Quanto a vocês, a unção que receberam dele permanece em vocês, [assim] não precisam que alguém os ensine; mas, como a unção dele recebida, que é verdadeira e não falsa, os ensina acerca de todas as coisas, permaneçam [vivam nele, não se afastem dele] nele [enraízem-se nele, entranhem-se nele] como ele [e sua unção] os ensinou [a fazer]. (1 João 2:20, 27).

Ainda que os crentes tenham sempre a unção, a manifestação dessa unção é vital para uma vida de poder e um ministério de poder. Como temos visto, a discórdia definitivamente é um obstáculo para o fluxo do poder de Deus:

> Não entristeçam o Espírito Santo de Deus [não o ofendam nem o constranjam], com o qual vocês foram selados [marcados como sendo de Deus, garantidos] para o dia da redenção [pela qual, por meio de Cristo, livramo-nos do mal e das consequências do pecado]. Livrem-se de toda amargura, indignação e ira (paixão, raiva, mau temperamento), gritaria e calúnia [maledicência, linguagem abusiva e blasfema], bem como de toda maldade. Sejam bondosos e compassivos uns para com os outros, perdoando-se mutuamente [imediata e livremente], assim como Deus os perdoou em Cristo. (Efésios 4:30-32).

A discórdia entristece o Espírito Santo e nos separa do poder e da unção do Espírito. No entanto, o poder da paz nos une ao Espírito Santo, como vemos em Efésios 4:3: "Façam todo o esforço para conservar a unidade do [e produzido pelo] Espírito pelo vínculo da paz."

Alguém poderia dizer que a paz e o poder caminham juntos. São casados, um apoia o outro.

O poder da unção

A unção do Espírito Santo é uma das coisas mais importantes para mim e para meu ministério, impelindo-me à presença e ao poder de Deus. A unção se manifesta na habilidade e no poder. A unção ministra vida para mim. Sinto-me viva e forte fisicamente quando a unção está fluindo, e ainda mentalmente alerta.

ACREDITO QUE HÁ UMA UNÇÃO PARA IR PARA SEU LOCAL DE TRABALHO E GOSTAR DE ESTAR LÁ.

Quando vivemos em paz e harmonia, liberamos a unção de Deus para mais do que só o ministério. Acredito que haja uma unção para tudo a que sejamos convocados — não só para as coisas do Espírito. Pode-se ser ungido para limpar a casa, para lavar as roupas, para gerir um lar ou negócio ou para ser estudante. A presença de Deus torna tudo fácil e agradável.

As pessoas riem quando eu digo isso, mas há uma unção em mim para fazer compras. Quando ela está lá, o passeio de compras é frutífero e agradável. Quando não está, não consigo encontrar nada do que estou procurando. Mesmo quando encontro o que procurava, não tenho vontade de comprar. Nesses momentos, eu digo: "Se eu comprar alguma coisa hoje, vai ter que descer sozinha da prateleira e cair no meu colo."

Para que outros tipos de coisas podemos esperar ser ungidos? Acredito que uma mulher possa ir à quitanda e ser ungida por Deus para comprar os mantimentos para sua família se ela tiver a fé para liberar a unção. Se ela se chateia quando a quitanda não tem determinado item que ela queria, a unção vai parar de fluir até que ela retorne a um estado de paz e a discórdia desapareça.

Acredito que há um sono ungido que podemos desfrutar quando vamos para a cama à noite. No entanto, se a pessoa se deita na cama e pensa em alguma situação que está cheia de discórdia, provavelmente não dormirá bem devido a sonhos perturbadores, agitando-se e revirando-se a noite toda.

Acredito que há uma unção para ir para seu local de trabalho e gostar de estar lá. A unção também ajudará nas tarefas do trabalho. Mais uma vez, se você tiver discórdias com seu chefe ou outros empregados, a unção vai ficar bloqueada. Esteja a discórdia aberta ou oculta em seu coração, o efeito será o mesmo.

Assim, mantenha a discórdia longe para que você possa viver com a unção. Deus deu-lhe a unção para que você se mantenha no que faz. As coisas não são conquistadas por meio da força ou do poder, mas pelo Espírito de Deus (veja Zacarias 4:6). Mantenha-se calmo e em paz, seja rápido em perdoar, lento para irritar-se, paciente e gentil. Proteja a unção em sua vida, e plante boas sementes ao ajudar os outros a fazer o mesmo. Se assim fizer, terá uma colheita no tempo da necessidade.

Proteja a unção

A Palavra de Deus nos ensina a cuidar uns dos outros. Isso faz parte da caminhada no amor. Lemos em Hebreus 12:14,15: "Esforcem-se para viver em paz com todos e para serem santos; sem santidade ninguém [jamais] verá o Senhor. Cuidem [um dos outros para] que ninguém se exclua da graça de Deus."

Podemos ajudar nossos bem-amados a caminhar na paz ao manter a paz, especialmente quando sabemos que eles já estão sob pressão. Por exemplo, minha família sabe que, logo antes de meus sermões, estou ocupada meditando no que Deus me deu para ministrar naquele dia. Eu tenho pedido a eles para evitarem de me contar qualquer coisa que possa ser desagradável logo antes de um sermão que eu tenha que ministrar. Eles me ajudam ao tentar manter a atmosfera pacífica.

Podemos ajudar uns aos outros a evitar a discórdia ao ser um pouquinho mais sensíveis às necessidades dos outros. Por exemplo:

- Quando o marido chega em casa após um dia especialmente cansativo no escritório, sua esposa pode ministrar-lhe a paz ao dirigir as crianças para uma atividade que crie uma atmosfera mais calma, em vez de uma que conduza ao caos.
- Quando uma esposa tiver passado o dia limpando e cozinhando para um feriado especial familiar no dia seguinte, o marido pode ministrar-lhe a paz ao levar as crianças para algum outro lugar à noite, para que ela possa ter um longo momento de paz.
- Se um filho vem passando pelas provas finais ao longo da semana e já está sob bastante pressão, os pais devem optar por não ralhar com ele a respeito da bagunça em seu quarto ou por deixar a bicicleta na entrada da garagem até que o estresse das provas tenha passado.

Estando casada com Dave por mais de quarenta anos, consigo perceber quando ele está cansado ou não está se sentindo bem. Aprendi a ministrar-lhe a paz nessas ocasiões, em vez de atirar-lhe um problema qualquer. Ele é um homem bem pacífico, e teria provavelmente lidado bem com o problema se eu o tivesse de fato apresentado, mas não faz sentido acrescentar peso a quem já tem uma carga pesada.

PODEMOS FAZER UM FAVOR AOS OUTROS E AJUDÁ-LOS A PROTEGER A UNÇÃO AO NÃO COLOCAR PRESSÃO DESNECESSÁRIA SOBRE ELES DURANTE AS OCASIÕES EM QUE ESTÃO MAIS VULNERÁVEIS À DISCÓRDIA.

A graça é um favor que não merecemos. Podemos fazer um favor aos outros e ajudá-los a proteger a unção ao não colocar pressão desnecessária sobre eles durante as ocasiões em que estão mais vulneráveis à discórdia. Para mim, essa ocasião é quando estou me preparando para ministrar. Para você, pode ser alguma outra ocasião ou circunstância. É importante saber quando você está mais propenso a sucumbir ao conflito para que possa proteger a unção e vivenciar o poder de Deus em toda a sua vida.

Jesus teve múltiplas oportunidades para entrar em discórdia, e ainda assim, sem hesitação, ele evitou todas elas. Mesmo quando estava preso à cruz ele orou: "Pai, perdoa-lhes, pois não sabem o que estão fazendo" (Lucas 23:34). Judas, Herodes, Pilatos e os fariseus, todos apresentaram a Jesus oportunidades para a discórdia. Ele usou todas essas oportunidades para mostrar o caráter de seu pai. No lugar da discórdia, ele respondeu com gentileza, cortesia e paciência.

Com seu auxílio, você pode fazer o mesmo. Você pode encarar esses inimigos de cabeça erguida. Paulo escreveu para Timóteo (e para nós):

> Evite [feche sua mente para, não tenha nada a ver com] as controvérsias tolas [equivocadas, estúpidas] e inúteis, pois você sabe que acabam em brigas. Ao servo do Senhor não convém brigar mas, sim, ser amável para com todos, apto para ensinar, paciente [preservando o vínculo da paz]. (2 Timóteo 2:23,24)

A unção de Deus está sobre você para qualquer que seja sua tarefa. Não desista, desejando satisfazer alguma emoção da carne que esteja empurrando-o para agir como o demônio no lugar de agir como Deus. Não bloqueie o fluxo ao permitir a discórdia em sua vida. Seja tudo o que Deus o convocou para ser. Viva em paz consigo mesmo, com Deus, e com os outros.

Resumo e reflexão

A unção do Espírito Santo reside em você para fortalecê-lo, iluminá-lo e equipá-lo para o ministério.

1. A discórdia e a amargura entristecem o Espírito Santo. De acordo com Efésios 4:30-32, qual o antídoto das Escrituras para a discórdia?
2. Do mesmo modo que a discórdia repele o Espírito Santo, o poder da paz vincula o Espírito Santo a nós. Que atitudes irão ajudá-lo a nunca entristecer o Espírito Santo, de acordo com Efésios 4:30-32?
3. O Senhor enviou seus discípulos para que saíssem e encontrassem uma "base de operações" que fosse pacífica. Leia Lucas 10:1-7 e explique por que você acredita que essa ordem é do Senhor.
4. Sua "base de operação" é pacífica, seja ela no lar, trabalho, igreja ou círculo de amizades? O que você pode fazer para tornar seu ambiente mais pacífico?
5. Como você pode ajudar os outros a proteger a unção em suas vidas?
6. O que você pode fazer para proteger a unção em sua própria vida?

Querido Pai, assegura-me a graça de viver e de operar em um ambiente de paz. Mostra-me que atitudes e hábitos meus podem contribuir para a discórdia. Fornece-me tua divina estratégia para ser um pacificador aonde quer que eu vá. Em nome de Jesus, amém.

CAPÍTULO QUINZE

Vá receber sua herança

Você e eu somos herdeiros em comum com Jesus Cristo. Jesus disse em João 16:15: "Tudo o que pertence ao Pai é meu. Por isso eu disse que o Espírito receberá do que é meu e o tornará conhecido [revelará, declarará] a vocês."

Tudo que o Pai possui é seu por meio de Jesus. Seu Reino é de retidão, paz e alegria. Sua retidão irá produzir pensamentos, palavras e ações retos, e isso também é seu. Uma paz e alegria sobrenaturais, que não são baseadas em circunstâncias negativas ou positivas, pertencem a você, que crê. Veja o que diz João 14:27: "Deixo-lhes a paz; a minha [própria] paz lhes dou. Não a dou como o mundo a dá. Não se perturbe o seu coração, nem tenham medo [parem de deixar-se agitar e perturbar; e não se permitam ser medrosos e intimidados ou covardes e irrequietos]."

Essencialmente, Jesus dizia: "Deixo com vocês minha paz. Estou partindo, e o que desejo deixar com vocês é a minha paz." Sua paz especial é um bem maravilhoso. Quanto vale a paz?

A paz vale o derramamento de seu sangue. O profeta Isaías disse: "Mas ele foi traspassado por causa das nossas transgressões, foi esmagado por causa de nossas iniquidades; o castigo [necessário] que nos trouxe paz estava sobre ele, e pelas suas feridas fomos curados" (Isaías 53:5).

Jesus tornou-se o sacrifício de sangue que compensou e removeu por completo nossos pecados para que você possa viver em paz. O desejo de Deus para você é que você viva em paz com ele, consigo mesmo e com os outros. Ele quer que você tenha paz no meio das suas circunstâncias atuais — sejam elas boas ou más. Ele quer que você tenha paz pela manhã, pela noite e a todo momento. A paz é sua herança!

A paz e a alegria de viver caminham lado a lado. Você pode desfrutar mais da vida em abundância de paz. A paz é gloriosa — e é seu direito herdado. A paz é sua pela sua "consanguinidade" com Jesus.

Você está vivenciando a paz e a alegria sobrenaturais? O que está se passando dentro de você? A atmosfera é de paz? De alegria?

Se não for, você precisa ir receber sua herança. Você tem que pedir a paz e a alegria que são suas por direito. Para fazê-lo, você precisa fazer o seguinte:

Peça a Deus para revelar a raiz do problema

Satanás não quer que você saiba que ele está roubando sua paz e sua alegria. Ele quer que você corra em círculos, por assim dizer, sempre procurando por alguma coisa e nunca descobrindo coisa alguma. É importante lembrar que não guerreamos com a carne e o sangue. Muitas vezes nossos problemas não são o que pensamos, mas têm sua raiz na discórdia sutil, oculta.

Desse modo, Satanás engana as pessoas. Elas passam suas vidas tentando lidar com as questões erradas. Por exemplo, já lhe ocorreu que a confusão possa ser a discórdia em sua mente? As pessoas que estão confusas discutem consigo mesmas. Seus pensamentos vão para frente e para trás em conflito umas com as outras. Uma pessoa que pensa de duas maneiras diferentes não está em paz.

A preocupação é também uma forma de discórdia. Muitas mães pensam que não são boas o bastante se não se preocuparem com seus filhos. Elas foram enganadas. Essas mulheres amam o Senhor, mas não estão vivenciando as bênçãos de Deus em suas vidas — não estão vivenciando a alegria sobrenatural. Suas mentes não têm paz, estão cheias de preocupação, ansiedade e tormento. A preocupação leva ao desajuste emocional. Em João 14:27, Jesus adverte: "Não se perturbe o seu coração, nem tenham medo."

Ainda assim, a Bíblia claramente ensina que a paz mental é nossa herança. Também nos ensina a obter a paz na mente:

> Não andem ansiosos por coisa alguma, mas em tudo, pela oração e súplicas, e com ação de graças, apresentem seus pedidos a Deus. E a paz de Deus [será sua, o estado tranquilo da alma garantido por sua salvação por meio de Cristo, e assim nada temendo de Deus e ficando contente com o quinhão terreno, seja ele o que for, essa paz] que excede todo o entendimento guardará o coração e a mente de vocês em Cristo Jesus. (Filipenses 4:6,7)

Peça a Deus para que lhe mostre o que está roubando sua paz, e então procure pedir sua paz nessa área. Tenha em mente que, se quiser viver em paz, você terá que estar disposto a pagar o preço.

Disponha-se a pagar o preço da paz

A paz é gloriosa, mas não seria justo se eu não lhe dissesse que o sofrimento é muitas vezes o caminho para essa glória. Romanos 8:17 deixa isso bem claro: "Se somos [seus] filhos, então somos

[seus] herdeiros; herdeiros de Deus e coerdeiros com Cristo, se de fato participamos dos seus sofrimentos, para que também participemos da sua glória."

Jesus vive em glória nesse exato momento. Ele teve que sofrer para chegar onde está. Ele teve que morrer. Ele teve que morrer para seus próprios desejos naturais e viver para a vontade de seu Pai. Paulo disse: "Eu morro a cada dia" (1Coríntios 15:31). Acredito que o que ele queria dizer é "há muito que eu preferia fazer, e outro tanto que eu preferia não fazer, mas eu digo não e sigo o espírito de Deus que há em mim".

Deus nos disse: "Coloquei diante de vocês a vida e a morte [...] escolham a vida" (Deuteronômio 30:19). Fazer as escolhas certas pode causar sofrimento quando a carne não consegue do seu jeito. A carne ministra a morte, mas o Espírito ministra a vida. Se seguirmos nossa carne, a morte será o resultado. Se seguirmos o Espírito, a recompensa é a vida. Escolher a paz em vez de escolher a discórdia irá certamente recompensá-lo com vida e com todas as bênçãos que ela traz. Mas, inicialmente, você pode ter que dizer não àquilo que sua carne quer.

Por exemplo, digamos que eu me levante uma manhã e que esteja em paz. É um dia agradável, ensolarado, e eu planejei compromissos divertidos ao longo de todo dia. Se tudo ocorrer do jeito que eu planejei, tudo estará bem. No entanto, certas coisas que começam a acontecer podem colocar em risco meus planos para desfrutar do dia.

Recebo um telefonema do escritório, informando que nosso novo sistema telefônico não está funcionando apropriadamente e que uma porção de nossas chamadas não está se completando. Essa informação me fornece uma oportunidade. Devo me preocupar — e escolher a morte? — Ou devo orar e encaminhar para Jesus — e escolher a vida?

Se eu encaminho para Jesus, fico em paz. Se eu cedo à preocupação, vou começar a me perguntar por que esse problema aconteceu e o que eu posso fazer para evitar que torne a acontecer. Vou alimentar pensamentos negativos sobre a empresa que nos vendeu o sistema telefônico e logo vou estar querendo ligar para eles para dizer o que eu acho do tal sistema telefônico. Vou estar agitada, raivosa, irritadiça.

DEIXE A PAZ TER O VOTO DECISIVO NAS ESCOLHAS QUE VOCÊ FAZ.

Lembre-se, quando eu me levantei pela manhã, tudo estava maravilhoso. Se eu permitir, um único telefonema terá o poder de mudar todo meu dia e meu comportamento. Fazer a escolha certa pode provocar certo sofrimento temporário em algumas áreas, mas irá por fim produzir a paz e a glória em todos os outros momentos.

É importante observar que muitas vezes saímos do equilíbrio na área do sofrimento. Alguns cristãos acreditam que glorificamos a Deus por meio de nosso sofrimento. Eles dizem: "Vamos amar o sofrimento e nunca resistir a problema algum." Outros acreditam que os cristãos nunca devem sofrer, nunca devem ficar desconfortáveis e que devem sempre conseguir as coisas do jeito que querem. No entanto, não podemos viver junto ao meio-fio de nenhum lado da estrada do sofrimento. Precisamos manter nosso curso reto, pelo meio da estrada. Precisamos de equilíbrio, não de extremos.

O sofrimento, em si, não glorifica Deus. Mas se estamos sofrendo para cumprir seus desígnios, e se mantivermos um comportamento apropriado, nosso sofrimento trará glória a Deus. As escolhas certas irão trazer glória para nossa vida.

Eu agora vivo em paz gloriosa na maior parte do tempo. Mas passei por muito sofrimento para poder chegar onde estou. Tive que aprender a ficar em silêncio quando preferia continuar tagarelando. Tive de humilhar-me e pedir desculpas quando eu não achava que estava errada. À medida que fazia as escolhas certas, minha carne sofria.

Tive que ficar em silêncio quando Dave achava que ele estava certo, quando eu preferia ter discutido e tentado provar que eu detinha a resposta. Tive que me distanciar das conversas quando as pessoas criticavam e teciam julgamentos a alguém, para que eu pudesse ficar livre da discórdia que eu pressentia. Minha carne sofria porque era intrometida e queria saber de tudo. Mas a paz que desfruto agora valeu o preço pago.

E não tenha medo do "sofrimento divino". O apóstolo Paulo escreveu uma carta aos coríntios, dizendo algo parecido com isso: "Ainda que minha carta possa magoá-los, eu não peço desculpas por tê-la escrito porque sei que no futuro ela irá produzir coisas boas em sua vida" (veja 2Coríntios 7:8).

Se escolher a discórdia, você irá sofrer e terminar derrotado. Por que não escolher a paz, que pode até provocar sofrimento na carne, mas que também conduz à vitória? Se você está sofrendo por conta da discórdia, isso só irá conduzir a mais sofrimento e a maiores problemas. Por que não escolhe sofrer de uma maneira divina, sabendo que isso o levará à glória?

Você deixará a paz ser o árbitro de sua vida?

Ninguém poderia escrever um livro longo o suficiente para cobrir cada circunstância que você pode vir a enfrentar. Mas o Espírito Santo veio para administrar a herança que Jesus, ao morrer, deixou para você. Deus quer que você viva em paz; ele quer liberar seu poder e suas bênçãos em sua vida. Mas a escolha final é sua.

Você deixará a paz ser o árbitro de sua vida?

O árbitro toma a decisão que resolve a questão. Cada time deve acreditar que a decisão será em seu favor, mas é o árbitro que toma a decisão final. E, uma vez que ele a toma, encerra-se a questão.

Deixe a paz ter o voto decisivo nas escolhas que você faz. Se alguma coisa não lhe traz a paz, jogue-a fora. Não viva somente para o momento. Use a sabedoria para tomar agora decisões que irão satisfazê-lo mais tarde. Quando você estiver passando por dificuldades em ouvir Deus ou em ser capaz de decidir o que deve fazer em determinada situação, siga a paz.

Colossenses 3:15 nos diz:

> Que a paz [harmonia de alma] de Cristo seja o juiz [aja como um árbitro continuamente] em seu coração [decidindo e definindo com finalidade todas as questões que brotam de sua mente, nesse estado de paz], visto que vocês foram chamados para viver em paz, como membros de um só corpo [o de Cristo]. E sejam agradecidos [dando graças a Deus sempre].

Você recebeu em sua vida um chamado único. Você é uma parte importante do Corpo de Cristo. Deus preparou tudo antemão para que você tenha uma vida poderosa e produtiva. Jesus pagou por ela. Ela é sua, a não ser que você permita que o demônio a roube de você.

Tome uma decisão hoje: "Estou farto da contrariedade e do tormento; a paz é minha, e eu vou desfrutar dela agora mesmo." E comece a viver em paz. Mantenha o conflito fora de sua vida; fora de seus pensamentos, palavras e atitudes; fora de seus relacionamentos. Escolha a vida! Escolha a paz!

Resumo e reflexão

Somos herdeiros de Cristo, de acordo com a palavra de Deus. Jesus disse: "Tudo o que pertence ao Pai é meu. Por isso eu disse que o Espírito receberá do que é meu e o tornará conhecido [revelará, declarará] a vocês" (João 16:15).

Ainda que tenhamos uma herança rica, maravilhosa e poderosa em Cristo, muito poucos entre nós já caminharam no que ele nos deu. Para receber nossa herança, temos que manter relacionamentos sem conflitos.

1. De acordo com João 14:27, a paz fazia parte do testamento de Jesus para seu povo. Se Jesus falou sobre a paz logo antes de morrer, o quão importante você acha que a paz era para ele?
2. Leia Efésios 4:6,7 e descreva uma maneira bíblica de manter sua paz.
3. Você está vivendo em paz consigo mesmo, com os outros e com Deus? Se está, explique como conseguiu fazê-lo. Se não, peça a Deus para revelar o que está roubando sua paz e o que você precisa fazer para ser um pacificador.
4. Liste algumas das maneiras que você escolheu para negar seus desejos da carne e manter a paz em um relacionamento.
5. Pense no dia de hoje. Descreva como você ou escolheu a paz, e evitou a discórdia e o conflito, ou cedeu à discórdia. Qual foi o resultado?
6. Você tomará hoje a decisão de fazer da paz o árbitro de sua vida? Escreva uma oração, contando a Deus seu compromisso em fazê-lo.

Querido Senhor, ajuda-me a fazer da paz o árbitro de minha vida em todos os meus relacionamentos. Mostra-me mais e mais estratégias bíblicas para manter a paz. Espírito Santo, desvia-me quando a discórdia tentar penetrar em meu coração e minha mente. Mostra-me como desvanecer cada situação com fé, amor, confiança e alegria. Em nome de Jesus, amém.

Bibliografia

HART, Archibald D. *The Hidden Link Between Adrenaline and Stress*. Dallas, TX: Word Books, 1986.

STRONG, James. *The New Strong's Exaustive Concordance of the Bible*. Nashville, TN: Thomas Nelson Publishers, 1990.

VINE, W.E. *Vine's Complete Expository Dictionary of Old and New Testament Words*. Nashville, TN: Thomas Nelson Publishers, 1985.

Webster's II New Riverside University Dictionary. Boston, MA: Houghton Mifflin Company, 1994.

Este livro foi composto em Minion Pro 10,5/15 e impresso
pela Cruzado sobre papel pólen natural 80g/m² para a
Thomas Nelson Brasil em 2025.